ALREDEDOR DE AROUND

M000113717

Editorial Gustavo Gili, SA
08029 Barcelona. Rosselló, 87-89
Tel. 93 322 81 61 - Fax 93 322 92 05
e-mail: info@ggili.com
http: //www.ggili.com

SARA NADAL
CARLES PUIG

Asesor editorial: **Gustau Gili Galfetti**
Traducción al castellano: **Emilia Pérez Mata**
Diseño gráfico: **Estudi Coma**

Ninguna parte de esta publicación, incluido el diseño de la cubierta, puede reproducirse, almacenarse o transmitirse de ninguna forma, ni por ningún medio, sea éste eléctrico, químico, mecánico, óptico, de grabación o de fotocopia, sin la previa autorización escrita por parte de la Editorial. La Editorial no se pronuncia, ni expresa ni implícitamente, respecto a la exactitud de la información contenida en este libro, razón por la cual no puede asumir ningún tipo de responsabilidad en caso de error u omisión.

*Editorial consultant: **Gustau Gili Galfetti***
*English translation: **Paul Hammond***
*Graphic design: **Estudi Coma***

All rights reserved. No part of this work covered by the copyright hereon may be reproduced or used in any form or by any means - graphic, electronic, or mechanical, including photocopying, recording, taping, or information storage and retrieval systems- without written permission of the publisher. The publisher makes no representation, express or implied, with regard to the accuracy of the information contained in this book and cannot accept any legal responsibility or liability for any errors or omissions that may be made.

© Sara Nadal/Carles Puig, 2002
© Editorial Gustavo Gili, SA, Barcelona, 2002

Printed in Spain
ISBN: 84-252-1818-7
Depósito legal: B. 2.404-2002
Fotomecánica: Scan Gou
Impresión: Viking SA, L'Hospitalet de Llobregat (Barcelona)

Los lugares donde se acaban las ciudades.

No me refiero a los que las terminan administrativamente, sino a aquellos otros que parecen acabarse a ojos vista. En todas las ciudades pasa esto. A la espalda de algún barrio, ya excéntrico, todavía más lleno de edificación, la vista se topa repentinamente con una gran extensión pelada, un campo [...]. Un paso atrás nos encontramos en una calle: casas, tiendas, vida. Un paso adelante son ya llanuras de desolación, casi sin hierbas [...]. Yo amo estos lugares donde se acaban las ciudades, cuando llega el mes de diciembre, a la puesta del sol. Yo amo más que nunca los atardeceres de gran viento. Viento, noche. Las últimas lucecillas de las casas parecen lívidas de miedo. Más allá, en medio de los campos, en medio del viento y de la noche, la llama de un farolillo anticuado tiembla, alocada, haciendo danzar un siniestro resplandor sobre la tapia que se pierde a lo lejos. Esta tapia es a veces un domicilio [...]. Cierto pintor conocido mío tenía un modelo gitano. En una ocasión, al pagarle una serie de horas de pose, le dijo:

—Déme su dirección para cuando vuelva a necesitarle.

El gitano, serenamente, le dio lo que le pedía.

—¿Conoce tal calle, en Poble Nou? ¿Sabe cuando se acaba en una pared? ¡Pues ahí!

Hoy pienso en esto, perdido, solitario en la noche, en uno de estos lugares de misteriosa y áspera poesía donde se acaban las ciudades [...] Y pienso que se acerca la Navidad, fiesta de los hogares.

¡Oh, la Navidad de los miserables que allí viven!

Eugeni d'Ors, *Obra catalana completa [1. Glossari 1906-1910]*, Selecta, Barcelona, 1950.

Where Cities Come to an End
"I don't mean the places where they end administratively, but those other places where they seem to end before your eyes. It happens in every city. Behind of a neighborhood, outlying but still full of buildings, your gaze suddenly falls on a large bare expanse, a field. [...] One step backward, we find ourselves on a street: houses, shops, vitality. One step forward, we are on a desolate plain, without a leaf of grass. [...] I love these places where cities come to an end, when the month of December arrives, at sunset. I love them even more when a great wind is blowing. Wind, nighttime. The last little lights in the houses seem livid with fear. Farther on, amid the fields, amid the wind and the night, the flame from a lamppost left over from the old system flickers madly, sending a sinister glow to dance on the wall that fades in the distance...
Sometimes the wall is a residence. [...] A certain painter I know had a gypsy model. Once, when the time came to pay him for a series of modelling sessions, the painter said:
—"Give me your address in case I need you again." The gypsy serenely gave him what he asked for:
—"You know such-and-such a street, in Poble Nou? You know how it ends in a wall? ... Well, there."
I think about this today, lost, alone in the night, in one of those places— with their mysterious, harsh poetry of fear, of poverty and crime—where cities come to an end. [...]. And I'm thinking of how Christmas, the feast of the hearth, is approaching. [...].
Oh, the Christmas of the poor souls who live there!"

Eugeni d'Ors, Obra catalana completa [1. Glossari 1906-1910], *Selecta, Barcelona, 1950.*
(Translation: Mary Ann Newman)

Otra vez a vueltas con la periferia. Otra vez y seguramente no la última.

Este libro aborda el estatuto de la periferia y de lo periférico —del alrededor de...— como espacio pasado, caído en la desmemoria o en el desprestigio en el que se suman todas las modas una vez agotadas, y lo toma como inicio de una revisión del concepto en el que la recién adquirida perspectiva histórica juega un papel fundamental. Que la periferia, como lugar común, pertenezca al pasado es una ventaja que, junto con las intervenciones que componen este libro, nos proponemos aprovechar.

La periferia fue, en eso estamos de acuerdo, una representación casi fetiche del "capitalismo tardío"[1] del Occidente finisecular que es el marco histórico de este proyecto. La periferia pasa a ser, dentro de este contexto económico e histórico, un lugar estratégico para el capitalismo tardío global en fase de formación. La definición de este lugar único se convirtió en imperativo, invisible en el momento de su ejecución aunque no por ello menos efectivo. La primera parte de este libro propone analizar la visibilidad a posteriori de este imperativo, utilizar una recién adquirida perspectiva histórica para observar los productos de este proceso de fijación significativa.

La periferia se convirtió así en un fetiche o imagen al que, sin embargo, y paradójicamente, no se le puede negar la calificación de espacio social. Así pues, hemos decidido iniciar este recorrido por la suerte pasada y futura de la periferia afirmando su definición como cronotopo histórico. El cronotopo, en acepción acuñada por el teórico ruso Míjail Bajtin, es literalmente un espacio-tiempo en que se sitúa una acción determinada, en este caso la cotidianidad social del habitante de la periferia.

Esta definición, la periferia como cronotopo, nos sirve asimismo para defender la vigencia de una nueva mirada sobre la periferia al entender que ésta forma parte de nuestra historia reciente, de nuestra geografía social y que, por tanto, no puede ser simplemente rechazada en nombre de una moda imprecisa. Al hablar de geografía social, Henri Lefebvre dice en su *Producción del espacio*: "El tiempo es en sí mismo un absurdo; como también lo es el espacio en sí mismo". Así pues, ni espacio ni tiempo, sino ambos simultáneamente y en diálogo. La periferia será aquí entendida, pues, doblemente como espacio social y cronotopo íntimamente ligada al capitalismo finisecular de Occidente.

Este proyecto parte de un presupuesto temporal: la periferia fue y puede volver a ser; su otredad temporal la convierte en objeto de posibilidades aún no exploradas y, a veces,

It's back to the periphery one more time! One more time, and surely not the last.

This book addresses the status of the periphery and of the peripheric —the state of being around something— as an antiquated space, a space fallen into desuetude or discredit, where all defunct fashions are absorbed, and takes it as a starting point for revising the idea in which a recently acquired historical perspective plays an essential role. That as a common place, the periphery belongs to the past is an advantage which, along with the interventions making up this book, we intend to make good use of.

The periphery was, and on this we all agree, an almost fetishistic representation of the fin-de-siècle Western "late capitalism"[1] that forms the historical framework of this project. Within this economic and historical context, the periphery turns out to be a strategic space for global late capitalism during its formative phase. Invisible at the time of its execution, although no less effective for all that, the definition of this unique space became imperative. The first part of this book attempts to analyze the a posteriori visibility of this imperative, using a recently acquired historical perspective for observing the products of this process of meaningful anchoring.

The periphery was thus converted into a fetish or image to which, furthermore, and paradoxically, the description "social space" cannot be denied. For that reason we have decided to begin this survey of the past and future fate of the periphery by affirming its definition as an historic chronotope. The chronotope, a word coined by the Russian critic Mikhail Bakhtin, is literally a space/time in which a certain action is situated, in this case the daily social life of the inhabitant of the periphery.

This definition, the periphery as chronotope, is also useful when defending the validity of a new view of the periphery, by understanding that the latter forms part of our recent history, our social geography, and that it cannot therefore be simply rejected in the name of a vague fashion. In speaking of social geography, Henri Lefebvre says in his book The Production of Space "time is in itself an absurdity; as too is space in itself." Hence, neither space nor time, but both simultaneously and in dialogue. The periphery, then, will be understood here in the dual sense of social space and chronotope, one intimately linked to fin-de-siècle Western capitalism.

This project proceeds from a temporal premise: the periphery existed and can exist again; its temporal otherness converts it into an object with still unexplored, and at times simply forgotten, possibilities. The

1 Esta acepción, que pertenece originalmente a la Escuela de Francfort, fue definitivamente adoptada por la crítica contemporánea tras la reorientación aportada por Fredic Jameson en su ya clásico volumen *La lógica cultural del capitalismo tardío*, Duke University Press, 1984. En dicho texto, Jameson establece por primera vez vínculos entre la arquitectura de la segunda mitad del siglo xx y el auge del capitalismo global en Occidente. El argumento de Jameson podría parafrasearse así: la arquitectura finisecular se ha convertido en una fiel representación de los parámetros económicos que la sustentan.

1. This phrase, which originates with the Frankfurt School, was definitively adopted by contemporary criticism after the change of direction proposed by Fredric Jameson in his now-classic book The Cultural Logic of Late Capitalism, Duke University Press, 1984. In that volume Jameson establishes, for the first time, links between the architecture of the second half of the 20th century and the rise of global capitalism in the West. Jameson's argument could be paraphrased thus: fin-de-siècle architecture has become a faithful representation of the economic parameters sustaining it.

simplemente olvidadas. La caducidad de la periferia en tanto que fenómeno espacio temporal es condición imprescindible para su posterior "rehabilitación". Como sabía muy bien Walter Benjamin lo *demodè* pasa a ser depositario de posibilidades futuras, una vez es reconocido unánimemente como tal. La periferia es algo así como las arcadas benjaminianas, un depósito de historias pasadas (las arcadas comerciales del XIX eran, ya entonces, lugares desastrados, abandonados) que contienen a su vez posibles historias futuras (intuición que permanece intacta hasta el situacionismo). Lo demodè, sin embargo, llega siempre tarde. Antes de que un espacio, una idea o un estilo merezcan tal calificación, el significado de ese espacio, idea o estilo debe de haber sido fijado, hasta convertirse en un referente estable y finalmente en un lugar común, en un cliché reconocido como tal.

Así pues es evidente que en la segunda mitad del siglo XIX y hasta bien entrado el siglo XX, durante la emergencia de la nueva metrópolis capitalista, la periferia no había iniciado su andadura como concepto o significado estable. Su realidad social era ya visible, el mundo no se dividía ya en campo y ciudad, sino que se empezaba a esbozar un espacio de transición para el que la cultura de la época no tenía aún nombre (la nomenclatura de la época fluctúa entre "donde la ciudad se acaba", "los suburbios", "la frontera" y las "afueras"). Así contaba la "periferia" un aún sorprendido Walter Benjamin a principios del siglo pasado: "Contrariamente al común de los viajeros que apenas llegan se apresuran a trasladarse al centro de la ciudad, yo efectuaba siempre un reconocimiento previo de los alrededores, de los suburbios. No tardé en comprobar la virtualidad de este principio. Nunca una primera hora me había colmado tanto como ésta que pasé en el muelle y los malecones de exteriores, entre los tinglados portuarios y los barrios más pobres, auténticos refugios de la miseria. Cinturón que oprime la ciudad, constituye su lado patológico, el terreno donde se libran ininterrumpidamente las batallas decisivas entre la ciudad y el campo, batallas que en ningún otro lugar son tan enconadas como entre Marsella y la campiña provenzal. Es una lucha cuerpo a cuerpo de los postes telegráficos contra las pitas, de los alambres de púas contra las espinosas palmeras, de pestilentes columnas de vapor contra umbrosas y sofocantes platanales, de escalinatas fantasiosas contra imponentes colinas..."[2].

Benjamin intenta utilizar el vocabulario del siglo XIX para acercarse a una realidad que pertenece ya plenamente al siglo XX. A la ciudad y el campo se les ha unido un *terrain*

obsolescence of the periphery as a spatio-temporal phenomenon is an essential conditioning factor for its subsequent "rehabilitation". As Walter Benjamin was well aware, the recently outmoded becomes a repository of future possibilities, once it is unanimously recognized as such. The periphery is something like the Benjaminian arcade, a storehouse of past histories (the shopping arcades of the 19th century were already rundown, abandoned places at the time) that in turn contain potential future histories (an intuition that remains intact up to Situationism). The recently outmoded, however, always arrives late. Before a space, idea or style merit such a qualification, the meaning of that space, idea or style has to have been fixed, to the point of becoming a stable signifier, and finally a commonplace, a cliché recognized as such.

It is clear, then, that during the emergence of the new capitalist metropolis in the second half of the 19th century, and extending into the 20th, the periphery had not commenced its advance as a concept or stable signified. Its social reality was now visible, the world was not now divided into countryside and city, but a transitional space was beginning to be outlined, a space for which the culture of the time still had no name (the nomenclature of the period fluctuates between "where the city ends", "the suburbs", "the frontier" and "the outskirts").
In 1928 a still surprised Walter Benjamin spoke of the "periphery" thus:
"Contrary to most travelers who, but scarcely arrived, rush off to the city center, I always made a previous reconnoiter of the outskirts, of the suburbs. It didn't take me long to test the potential of this principle. Never had an early morning satisfied me so much as the one I passed on the quayside and outer piers, among the port lean-tos and the poorest quartiers, authentic refuges of misery. A belt oppressing the city, it constitutes its pathological side, the terrain where the decisive battles between city and countryside are endlessly waged, battles that are nowhere else so bitter as between Marseilles and the Provençal landscape. It is a hand-to-hand fight of telegraph poles against agaves, barbed wire against spiky palm trees, pestilential columns of vapor against shady and suffocating clumps of plane trees, of vainglorious flights of steps against imposing hillsides".[2]
Benjamin attempts to use the vocabulary of the 19th century to address a reality that already fully belongs to the 20th. To the city and the countryside a *terrain vague* has been united that struggles to make headway as an alternative to this duality of the past.

2 Walter Benjamin, *La historia de un fumador de hachís*, Editorial Península, Barcelona, 1997.

2. Walter Benjamin, Über Haschisch, *Suhrkamp Verlag*, Frankfurt am Main, 1972.

vague que pugna por abrirse camino como alternativa a este binomio del pasado.

El ejemplo más conocido y más representado en la literatura y la poesía contemporánea fue lo que pasó a denominarse la *zone parisienne*, el espacio promiscuo que discurría entre lo que la ciudad reclamaba como propio y lo que rechazaba como radicalmente "otro". Al tiempo que la realidad social de los habitantes de estas zonas se integra en el imaginario ciudadano se acuña el concepto "periferia". Esta nueva denominación no es sólo un intento de rebautizar lo extraño como propio sin dejar que se asimile completamente, sino que es también una vuelta de tuerca ideológica, un intento de convertir una realidad social en pura geografía. Los periféricos, los habitantes de las fronteras urbanas, no eran ya totalmente distintos a los habitantes de la ciudad-centro sino que, simplemente, se transformaban en periféricos en virtud de una ubicación física. Lo mismo que los unía a la ciudad los separaba de ella, los convertía en personajes de frontera, necesarios pero algo incómodos. Es difícil, desde sus inicios, desenmarañar la periferia de la puesta en marcha de una especie de determinismo geográfico. Uno es el lugar que habita.

Sin embargo, como indicábamos al inicio de este escrito, la periferia como concepto /referente y como realidad social/cronotopo, experimenta su gran momento con la llegada del llamado capitalismo tardío y con la segunda explosión de la ciudad/centro. La inmigración masiva hacia las ciudades en la segunda mitad del siglo XX constituye la materia sobre la que se construye la nueva periferia ciudadana, el cinturón que rodea el nuevo París y que actúa de cordón umbilical con sus ciudades dormitorio, toma el nombre de *périphérique* y actúa como modelo de acordonamientos posteriores. Éste es el momento de fijación de la periferia como referente espacio social; tan sólo tras este proceso de congelación significativa, de reificación si se quiere, es posible comprender la posterior entrada del concepto en el *bric-à-brac* de lo *demodé*.

Llegamos así al sentimiento contemporáneo, o más bien finisecular y, ahora ya a duras penas contemporáneo, de superación de lo periférico como cronotopo. Es justamente para intentar comprender las implicaciones de este rechazo, parcial como veremos más adelante, de la periferia como concepto y realidad caduca, por lo que debemos investigar la fijación del concepto. Así pues, la primera parte de este libro, "Preposiciones. Un viaje a la periferia", se propone yuxtaponer ejemplos de intervenciones arquitectónicas y fotográficas que contribuyeron, y contribuyen, a convertir la periferia en un referente espacial de

The most recognized and representative example in the literature and poetry of the time was what became known as la zone parisienne, *the promiscuous space that unfolded between what the city claimed as its own and what it rejected as radically "other". At the same time as the social reality of the inhabitants of these areas is integrated into the city dweller's imaginary, the "periphery" idea is coined. This new word is not only an attempt to rebaptize the unwonted as something personal, without it ceasing to be completely assimilated, but is also a turn of the ideological screw, an attempt to convert a social reality into pure geography. The suburbanites, the inhabitants of the urban frontiers, were not yet totally distinct from the inhabitants of the city center, but were merely transformed into suburbanites by virtue of their physical situation. The same thing that linked them to the city separated them from it, made them into frontier people, necessary but somewhat inconvenient. It is difficult, from its very beginnings, to disentangle the periphery from the setting up of a kind of geographical determinism. A person is where he lives.*

Nevertheless, as we pointed out at the beginning of this text, the periphery as a concept/referent and as a social reality /chronotope experiences its big moment with the arrival of so-called late capitalism and with the second explosion of the city/center. Massive immigration to the cities in the second half of the 20th century constitutes the material on which the new city periphery is constructed: the belt surrounding the new Paris, and which functions as an umbilical cord with its dormitory towns, is known as the périphérique *and forms a model for later cordonings off. This is the moment of the periphery's anchoring as a meaningful social space; only after this process of significant congealing —of reification, if you like—, is it possible to grasp the subsequent emergence of the concept in the bric-a-brac of the recently outmoded.*

We thus arrive at the contemporary, or rather fin-de-siècle, feeling —one that is hardly contemporary today— of overcoming the peripheral as a chronotype. It is precisely in order to try and understand the implications of this rejection, a partial one as we shall see further on, of the periphery as a concept and an obsolete reality that we must investigate the anchoring of the concept. For that reason the first part of this book, "Prepositions: A Journey to the Periphery", attempts to juxtapose examples of architectural and photographic interventions that have contributed, and contribute, to turning the periphery into an easily identifiable spatial signifier, and

fácil identificación, y, asimismo, proponer una relectura de estos espacios que nos permita descifrar nostalgias, utopías y espacios sociales más o menos diversos. En todas estas intervenciones la periferia es siempre equiparable a una realidad geográfica concreta a la que uno se dirige, hacia la que uno viaja, con el propósito de apropiársela, de definirla. Se trata siempre de una misma preposición: alrededor de.

La segunda parte, "Proposiciones. El viaje de la periferia", se ocupará de la rehabilitación o reutilización del concepto de periferia. Una vez el concepto de la periferia pasa a considerarse caduco, es posible, y ésta es la principal aportación teórica de este proyecto, reciclarlo (y utilizamos esta palabra con todas sus connotaciones) y reutilizarlo, convertir a la preposición "alrededor de" en una proposición teórica que le otorgue de nuevo vueltas al concepto y que explore sus nuevas posibilidades. Los proyectos y fotografías incluidos en esta segunda parte reflejan un cambio fundamental en la percepción de la periferia. La periferia escapa de su lugar geográfico para ocupar el centro histórico de la ciudad, los entornos rurales/naturales, las fantasías tecnológicas, las utopías sociales de la posmodernidad, etc. La periferia deja de significar "alrededor de" como ubicación física para convertirse en una invitación a la reflexión, "alrededor de" la periferia como concepto y posibilidad. No se trata tanto de un viaje colonizador a la periferia, como en la primera parte, como de un viaje de la periferia hacia lugares en los que hasta hace poco estaba proscrita. La periferia pasa a significar un discurso móvil, que utiliza los lugares comunes de la periferia clásica para desubicarlos y desterritorializarlos.

1. Preposiciones. El viaje a la periferia.

El presente capítulo se ocupa de proyectos, construidos y no construidos, y de fotografías que han contribuido, y siguen contribuyendo, a la fijación de la periferia como referente del imaginario urbano del capitalismo tardío. Hemos llamado a esta parte "viaje a la periferia" porque los productos que la componen se ubican y representan una realidad social y económica ya existente. Los arquitectos y fotógrafos que participan en este "viaje" redescubren, redefinen, y, a menudo, simplemente señalan un espacio social surgido de la inmigración y del desarrollo económico de las grandes urbes finiseculares.

Los productos arquitectónicos y fotográficos, los "alrededor de" de este viaje, se agrupan en torno a aproximaciones diversas al fenómeno periférico: espacios consumibles-lúdicos, lugares de tránsito, áreas de servicio, etc. Frente a la diversidad, sin

likewise to propose a rereading of these spaces which permits us to decipher their more or less diverse yearnings, utopias and social spaces. In all these interventions the periphery is always comparable to a concrete geographical reality to which one directs oneself, towards which one travels, with the aim of appropriating it, of defining it. This always involves the same preposition: around.

The second part, "Propositions: The Journey of the Periphery", will be taken up with the rehabilitation or reutilization of the concept of the periphery. Once the concept of the periphery is considered as being obsolete, it is possible —and this is the chief theoretical contribution of this project— to recycle it, to convert the preposition "around" into a theoretical proposition that gives a number of new twists to the concept and explores its possibilities. The projects and photos included in this second part reflect a fundamental change in the perception of the periphery. The periphery escapes its geographical location and occupies the city's historic center, rural/natural surroundings, technological fantasies, the social utopias of postmodernity, etc. The periphery ceases to mean "around" as a physical location and becomes an invitation to reflection "around" the periphery as both concept and possibility. This doesn't so much mean a colonizing journey to the periphery, as in the first part, as a journey of the periphery to places where it was proscribed until quite recently. The periphery turns out to mean a mobile discourse that uses the common places of the classical periphery in order to dislodge and deterritorialize these.

1. Prepositions: The Journey to the Periphery

The present chapter is devoted to projects, built and not built, and to photographs that have contributed, and go on contributing, to the anchoring of the periphery as a signifier of the urban imagination of late capitalism. We have called this part "Journey to the Periphery" because the creations that go to form it are installed in and represent an already existing social and economic reality. The architects and photographers who participate in this "journey" rediscover, redefine and often simply indicate a social space arising from immigration and the economic development of the great fin-de-siècle metropolises. The architectural and photographic creations, the "around" of this journey, are grouped in various approximations to the peripheric phenomenon: consumer/leisure spaces, places of transit, service areas, etc. As opposed to their diversity, however, their intersections are encountered, the points of contact that enable us to speak of the peripheric phe-

embargo, se encuentran las intersecciones, los puntos de contacto que nos permiten hablar del fenómeno periférico como realidad histórica y social. El protagonismo del automóvil, del utilitario personal, actúa de vínculo entre el ciudadano urbano clásico y la nueva realidad arquitectónica y social de la periferia. El automóvil se convierte, así, en pasaporte imprescindible para entradas y salidas, recorridos, visitas y viajes a las arquitecturas de la periferia. La realidad puramente económica de este pasaporte no hace más que subrayar la dependencia de la periferia respecto a los procesos del capitalismo tardío. La subordinación de una realidad social a una realidad económica.

Esta nueva movilidad sobre cuatro ruedas refleja, a su vez, la movilidad de estos espacios sociales emergentes. El automóvil condiciona la accesibilidad de los nuevos espacios de la periferia y transforma radicalmente la percepción temporal y espacial del ciudadano clásico. La abertura a una nueva realidad social y espacial, surgida de la inmigración y del desarrollo económico de las grandes urbes occidentales de la segunda mitad del siglo xx, llega de la mano de la más perfecta metáfora de la movilidad: el utilitario.

Así pues, en esta primera parte, en este "viaje a la periferia", el automóvil nos sirve de metáfora de accesibilidad, de colonización, de consumo espacial. Las fotografías de Xavier Ribas son un ejemplo excelente. En ellas, el automóvil forma parte del encuadre o simplemente actúa como condición de posibilidad del documento fotográfico mismo, aparcado tras la cámara. La colonización de la periferia, su definición como una "alrededor de" del núcleo urbano a través del automóvil, condiciona tanto los parámetros escalares de los productos arquitectónicos de esta parte como su explotación metafórica de la ecuación velocidad=espacio/tiempo. Las propuestas que constituyen esta primera parte responden a una estrategia de colonización territorial en la que el automóvil condiciona parámetros de espacio, forma, uso y tiempo, convirtiéndose así en el centro de gravedad del discurso proyectual.

nomenon as a social and historical reality. The important role of the automobile for personal use acts as a link between the classic city dweller and the new architectural and social reality of the periphery. The automobile is thus converted into an essential passport for entrances and exits, tours, visits and trips to the architectures of the periphery. The purely economic reality of this passport only underlines the dependence of the periphery on the processes of late capitalism: that is, the subordination of a social reality to an economic one.

This new four-wheeled mobility in turn reflects the mobility of these emerging social spaces. The automobile determines the accessibility of the new spaces of the periphery and radically transforms the temporal and spatial perception of the classic citizen. This openness towards a new social and spatial reality, arising from immigration and from the economic development of the great Western metropolises of the second half of the 20th century, arrives courtesy of the most perfect metaphor of mobility: utility.

In this first part, this "journey to the periphery", the automobile serves us as a metaphor for accessibility, colonization, spatial consumerism. Xavier Ribas's photographs are exemplary here. In them the automobile forms part of the frame, or, parked behind the camera, renders the photo document itself possible. The colonization of the periphery, its definition as a "surrounding" of the urban nucleus via the automobile, conditions both the scalar parameters of the architectural creations of this section and their metaphorical exploitation of the equation speed=space/time. The schemes that go to form this first part respond to a strategy of territorial colonization in which the automobile determines parameters of space, form, use and time, thus becoming the center of gravity of projectural discourse.

2. Proposiciones. El viaje de la periferia

La segunda parte de este libro carece de la perspectiva histórica y de la homogeneidad de la primera parte. Se trata de una selección de lo que podríamos calificar de "obras en curso" interdisciplinares (o más bien transdisciplinares).

El proceso de revisión y reciclaje de la "periferia" como concepto e imagen, tal y como queda reflejado en la primera parte, no ha hecho más que iniciarse. Este inicio consiste en un cambio de ubicación geográfica, y en la explosión de la ciudad identificable como núcleo. Una vez la periferia ha quedado fijada en el imaginario urbano como imagen o signo, es capaz de desvincularse de un espacio geográfico concreto —"el alrededor de" que define a la periferia histórica—, y viajar a los centros de las ciudades, a los espacios naturales y a las realidades virtuales. La periferia deja de ser en esta segunda parte un espacio social al que uno llega, para convertirse en un concepto reusable que se infiltra en la ciudad y adquiere así un nuevo significado mixto, vinculado a la explosión del binomio centro-periferia en aras de la posmetrópolis o exópolis de la nueva globalidad en la que estamos inmersos.

Los proyectos, pocos de ellos construidos, de esta segunda parte son fundamentalmente proposiciones y reflexiones en torno a las posibilidades de la periferia. Ésta se convierte en lo que, el geógrafo por excelencia de la posmodernidad, Edward W. Soja, llama "tercer espacio" o espacio de posibilidad: un espacio que es a la vez real (la periferia como espacio histórico, económico y social) e imaginario de cambio (capaz de contener nuevos significados, de reinventarse).

El objetivo de los proyectos de esta segunda parte es repensar el significado de la periferia en el contexto de la globalidad contemporánea, abrirla a nuevas posibilidades. Todos ellos parecen plantear, de maneras y a través de disciplinas diversas, una misma pregunta: ¿y si el futuro de la ciudad fuera periférico?

Para hablar de futuros nada mejor que empezar con decadencias y nostalgias pasadas. Esta segunda parte, "el viaje de la periferia" a los centros urbanos, a los entornos naturales y a las emergentes realidades virtuales, se inicia con la obra fotográfica de Camilo José Vergara. En ella el tiempo, documentado a través de su capacidad transformadora de espacios y de las realidades sociales que en ellos se ubican, juega un papel fundamental. Las series fotográficas de Vergara son narrativas puramente temporales de lugares abandonados y condenados a la desaparición, a los que se niega la cali-

2. Prepositions: The Journey of the Periphery

The second part of this book lacks the historical perspective and homogeneity of the first. It is a selection of what we might call interdisciplinary (or rather, transdisciplinary) "works in progress".

The process of revising and recycling the "periphery" as both concept and image, as revealed in the first part, has only just begun. This beginning consists of a change of geographical emplacement, and in the explosion of the city identifiable as a nucleus. Once the periphery has become anchored in the urban imaginary as an image or sign, it is capable of disassociating itself from a concrete geographical space –the "around" which defines the historical periphery– and to journey to the city centers, to natural spaces and virtual realities. In this second part the periphery ceases to be a social space one accedes to, and becomes a reusable concept that infiltrates the city, thus acquiring a new, joint meaning linked to the explosion of the center/periphery duality in the interests of the postmetropolis or exopolis of the new globality we are immersed in.

The projects, few of them built, in this second part are basically propositions and reflections about the periphery's possibilities. This is converted into what the postmodern geographer par excellence, Edward W. Soja, calls "third space", or space of possibility: a space that is at the same time real (the periphery as an historical, economic and social space) and imaginary as to change (capable of containing new meanings, of reinventing itself).

The objective of the projects in this second part is to rethink the meaning of the periphery within the context of contemporary globality, to open it up to new possibilities. All the projects appear to propose, in different ways and by recourse to different disciplines, the one question: what if the future of the city was peripheric?

In order to speak of futures, there's no better place to start than with examples of past decadence and nostalgia. This second part, "the journey of the periphery" to urban centers, begins with the photographic oeuvre of Camilo José Vergara. In it, time, documented in terms of its ability to transform spaces and the social realities located in these, plays an essential role. Vegara's photo series are purely temporal narratives of abandoned places doomed to disappear, and to which the word "space" is denied in the name of amnesia. Basically, these are locations radically disconnected from the city/center, from the urban signifier par excellence.

ficación de 'espacio' en nombre de la desmemoria. Se trata fundamentalmente de lugares radicalmente desvinculados de la ciudad/centro, del referente urbano por excelencia.

Sería fácil, demasiado, leer la decadencia que Vergara documenta en clave de pura pérdida. Frente a una lectura negativa, casi automática, que substrae/niega significados en lugar de producirlos, proponemos una lectura propositiva, posibilista si se quiere, que se abra a nuevos significados. La obra de Vergara es, pues, en esta segunda parte, un lugar de inicio, la articulación de una propuesta teórica: si los espacios temporales que Vergara presenta son capaces de acoger identidades cambiantes, aunque sea a través de una narrativa de decadencia, es plausible considerarlos también espacios de posibilidad, desvinculados de los lugares comunes que atrapan al centro urbano en tanto que referente estable. La elusividad de estos documentos de lo periférico los convierte en lugares privilegiados de lo que hemos dado en llamar, de la mano de Edward W. Soja, el "tercer espacio". Una vez más, las arcadas benjaminianas retornan, como todo lo reprimido, en forma de lo rechazado por los estándares del capitalismo tardío, a través de las series fotográficas de Vergara, casi un siglo después. La lógica del reciclaje, con todas sus implicaciones conceptuales, se impone una vez más.

El lugar privilegiado para ubicar la elusividad y posibilidad de este "tercer espacio", esta "segunda oportunidad" del espacio rechazado, es, en gran parte de los proyectos presentados en este apartado, el centro urbano degradado. El caso de Vergara es extremo al centrarse en la realidad de las grandes urbes estadounidenses finiseculares, paradigma de los estragos sociales del capitalismo tardío. Sin embargo, los proyectos que ahora nos ocupan manifiestan una firme voluntad de dinamizar y regenerar los núcleos urbanos en decadencia, núcleos que han empezado a transformarse en periferias de "segunda generación". En todos los casos, esta dinamización se lleva a cabo mediante la utilización de un vocabulario de periferia, un vocabulario trasladable también a entornos naturales y virtuales.

El debate que este libro propone se cierra, y reabre, con la reiteración de una pregunta, que es a la vez el atisbo de una nueva dirección: ¿y si el futuro fuera periférico?

It would be all too easy to read the decadence Vergera documents as involving simple loss. As opposed to an almost automatic negative reading that subtracts/denies meanings instead of producing them, we propose a purposeful reading, a possibilist one if you like, which is open to new meanings. In this second part, Vergara's work is, then, a starting place, the articulation of a theoretical proposition: if the temporal spaces Vergara presents are capable of accommodating changing identities, albeit through a narrative of decadence, it is plausible to consider them as spaces of possibility as well, detached from the common places that constrain the urban center as a stable signifier. The elusiveness of these documents of the peripheric converts them into privileged sites of what we have taken to calling, along with Edward W. Soja, the "third space". Through Vergara's photo series, taken almost a century later, the Benjaminian arcades return once again, like everything repressed, in the form of what is rejected by the standards of late capitalism. The logic of recycling, with all its conceptual implications, asserts itself once more.

The privileged place for siting the elusiveness and possibility of this "third space", this "second chance" for rejected space, is, in most of the projects presented in this section, the degraded urban center. In being centered on the great fin-de-siècle metropolises of North America, a paradigm of the social ravages of late capitalism, Vergara's case is an extreme one. Nevertheless, the projects occupying us here display a strong ambition to reenergize and regenerate decadent urban nuclei, nuclei that have begun to be transformed into "second-generation" peripheries. In all these cases, this reenergization is achieved through the use of a "periphery" vocabulary, a vocabulary also traducible to natural and virtual environments.

The debate this book proposes closes, and reopens, with the reiteration of a question, which is at the same time the first sign of a new direction: what if the future was peripheric?

Parte 1

Preposiciones: el viaje a la periferia

Xavier Ribas

Xavier Ribas

"Estos bloques eran algo extraordinario. No sé a qué lugar del mundo deberíamos viajar para encontrar algo tan extraordinario. Estoy segura de que los desiertos no son nada a su lado."
Christiane Rochefort, *Les Petits Enfants du siècle* (1961), Bernard Grasset, París, 1994.

—¿Te gusta el campo?

—Digo que no lo sé, creo que más bien no.

—¿Prefieres la ciudad?

——A decir verdad, creo que tampoco prefiero la ciudad.

La mujer se mostró molesta.

Christiane Rochefort, *Les Petits enfants du siècle* (1961), Bernard Grasset, París, 1994.

—Do you like the countryside?

I say I didn't know, maybe not, I thought.

—Do you prefer the town?"

—Quite frankly, I don't think I prefer the town, either.

The woman began to lose patience."

Christiane Rochefort, Les Petits Enfants du siècle *(1961), Bernard Grasset, Paris, 1994.*

Cuno Brullmann y Arnaud Fougeras

Aparcamiento y centro comercial
Autopista A-15/Nacional 14, Francoville, Francia
1988-1989

El edificio, situado en la periferia de Francoville, ocupa la totalidad de un solar alargado y estrecho entre la autopista A-15 y la Nacional 14. Un centro comercial y un aparcamiento distribuido en dos plantas se insertan dentro de una misma estructura de hormigón que toma la forma del solar.

Una ligera piel de sección curva, plancha de aluminio perforada, permite un atractivo despliegue escénico. La fachada es un reflejo de todos los tipos de luz de su entorno: luz natural, luz artificial y luz reflejada de vehículos que circulan a gran velocidad por la autopista. De este modo, la fachada del edificio se convierte en un inmejorable cartel publicitario de su naturaleza de espacio de consumo al despertar la atención del conductor/consumidor. Éste accede al centro comercial a través del aparcamiento, primera etapa de su periplo consumista. La secuencia del peatón hasta el interior se asemeja a un espacio aterrazado sobre una plaza pública: una sección escalonada conduce hacia la claridad de un vestíbulo interior revestido con vidrio transparente que permite divisar finalmente los escaparates comerciales. Desde este momento la organización y distribución del complejo tiene como objetivo último la disolución de la realidad exterior. La única salida directa al exterior se reduce a la de emergencia.

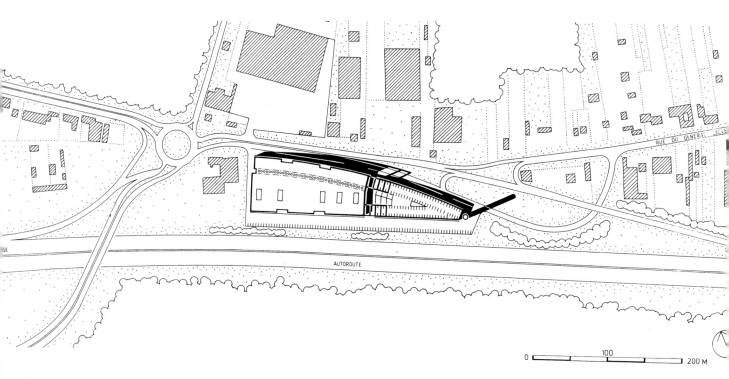

0   100   200 M

Cuno Brullmann & Arnaud Fougeras

Car Park and Shopping Mall
A15 motorway/N14 main road, Franconville, France
1988-1989

The building, situated on the outskirts of Franconville, occupies the whole of a narrow, elongated plot of land between the A15 motorway and the N14 main highway. A shopping mall and a car park laid out on two levels are inserted within a single concrete structure of the same shape as the site.

A curved, lightweight skin, a perforated sheet of aluminum, enhances the attractive stage-like treatment of the whole. The facade reflects all the differing kinds of light present in the surroundings: natural light, artificial light, and light reflected by the vehicles moving at high speed along the motorway. By attracting the attention of the driver/consumer, the facade of the building is thus converted into an unbeatable advertising billboard for this consumerist space. The driver accedes to the shopping mall via the car park, the first stage in his consumerist tour. The sequence of the pedestrian making for the interior is akin to the surface space of a public piazza: a stepped section leads him/her as far as the clarity of an inner concourse faced with clear glass, which allows the store window displays to be finally made out. From this moment on, the organization and layout of the complex has the dissolution of external reality as its ultimate aim. The only direct way out is restricted to the emergency exit.

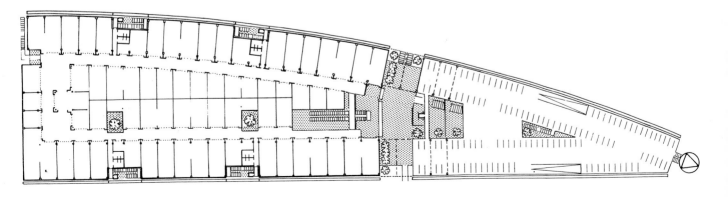

Car Park and Shopping Mall A15 motorway/N14 main road, Franconville, France

Pachinko Parlor II, Naka, Japón
1993

Este establecimiento dedicado al juego de pachinko está situado en un suburbio a una hora y media en tren de Tokio. El proyecto resuelve un nuevo acceso a la vez que redefine completamente la imagen comercial en el espacio de cuatro metros y medio que hay entre la carretera y las tiendas existentes.

El nuevo vestíbulo pretende protagonizar el breve lapso de tiempo de percepción de los conductores que circulan frente a él. Los peatones lo apreciarán por su desarrollo longitudinal de 42,5 metros, superando el largo de la edificación existente.

El tipo de estructura utilizada permite conseguir una fachada libre de pilares, revestida en su totalidad por vidrio transparente sobre el que se aplica el logotipo de la empresa de forma repetida a lo largo de toda la superficie. De este modo, la imagen del edificio se transforma en un inmenso signo. La fachada no es el resultado de un dibujo sino el grabado de un texto.

El revestimiento amarillo de la pared y del techo oculta la estructura y las instalaciones, mostrando únicamente las máquinas expendedoras y el acceso al interior de la sala. El espacio resultante es claro y soleado durante el día. La sombra de las letras proyectada convierte la bidimensionalidad del texto de la fachada en un cartel tridimensional que permite apreciar sus variaciones a lo largo del día y de las estaciones. Durante la noche, se subraya la variedad de los efectos lumínicos artificiales.

Pachinko Parlor II, Naka, Japan
1993

This establishment, dedicated to the game of pachinko, is situated in a suburb an hour-and-a-half away from Tokyo by train. The project both resolves a new access and completely redefines the commercial image in the 4.5-meter space existing between the roadway and the existing shops.

The new entrance area attempts to capture the brief attention span of the car drivers passing before it. Pedestrians will appreciate it for its 42.5-meter longitudinal extension, somewhat longer than the existing building.

The type of structure used enables one to invent a pillar-free facade entirely faced with clear glass, on which the company logo is endlessly repeated over the entire surface. In this way the image of the building is transformed into one immense sign. The facade isn't the product of a design, but of the engraving of a text. The yellow facing of the wall and roof conceals the structure and installations, showing the ticket machines and the entrance to the interior of the hall alone. The resulting space is bright and sunny during the day. The cast shadow of the letters converts the two-dimensionality of the facade text into a three-dimensional poster that permits its variations throughout the course of the day and the seasons to be appreciated. At night the range of artificial lighting effects is emphasized.

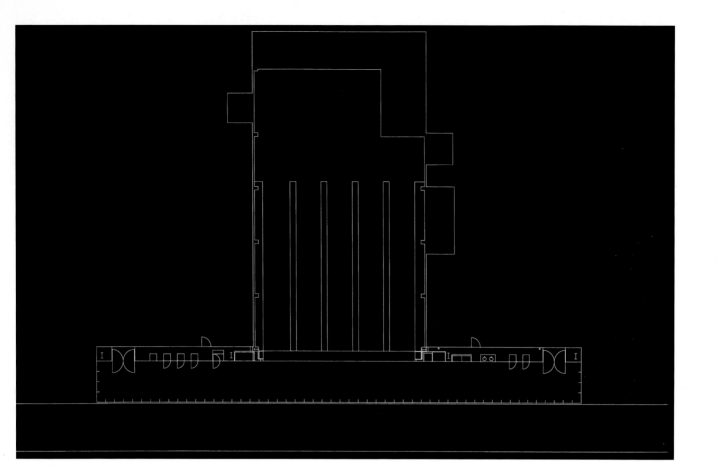

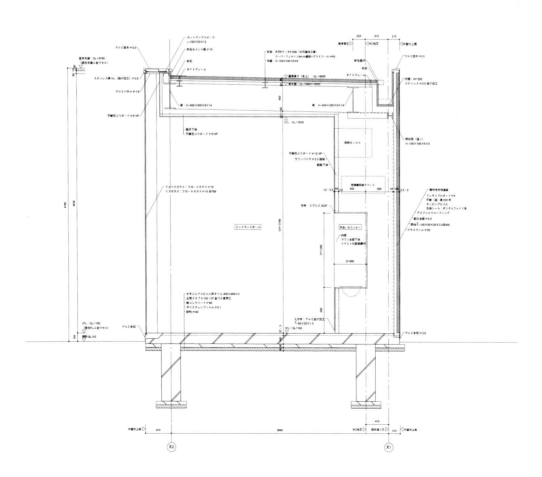

Pachinko Parlor II, Naka, Japón

Pachinko Parlor II, Naka, Japan

cero9 (Cristina Díaz Moreno, Guillermo Fernández Pardo, Efrén García Grinda)

Mar artificial
Inserciones en los cinturones M-30 y M-40, Madrid, España
1997-1998

La propuesta se inserta parasitando las redes de transporte e infiltrándose en lugares de máxima accesibilidad y de cercanía temporal a nodos de intercambio de infraestructuras. Se reducen así los tiempos de acceso desde cualquier punto de la ciudad, minimizando el peso de la noción de lugar y distancia física como fundamentos de la arquitectura, adoptando una posición estratégica y buscando bolsas de suelo a bajo precio. Concebidos como continuación de las redes, las unidades se concentran en los puntos de mayor cualidad e intensidad de las mismas, se acodalan unos junto a otros hasta formar centros de actividad creciente. Se conciben como lugares físicos, infraestructuras, que permitan alojar con el mayor grado de libertad posible, programas y actividades. Cada vacío degradado por el efecto de las obras públicas, cada bolsa de suelo a bajo precio, se convierte en una oportunidad para desarrollar espacios públicos al aire libre y programas, sin tutela ni dirección, asociados a las nuevas formas de habitar la ciudad.

La propuesta se plantea como un segmento especializado del sistema de viario: forma parte del sistema de infraestructuras de la ciudad y, en consecuencia, se apropia de las leyes formales y configuraciones presentes de sus elementos. De esta simple idea se derivan su configuración, su posición elevada con respecto al suelo, el modo de insertarse en la red viaria existente y su geometría; geometría de la deceleración. Cada unidad, como un bucle de superficies que se arremolinan como un nudo complejo de autopista, genera un vórtice de usos y programas. Su cubierta es un paisaje continuo formado por colinas, valles y depresiones, producto de la deformación tridimensional del suelo de la cinta, utilizable como espacio público libre de programas preestablecidos. En verano, las abolladuras y depresiones sobre este suelo continuo se llenarán de agua formando constelaciones de ponds donde los bañistas podrán tomar el sol y bañarse en este mar artificial suspendido sobre las redes infraestructurales.

cero9 (Cristina Díaz Moreno, Guillermo Fernández Pardo, Efrén García Grinda)

Artificial Sea
Insertions in the M-30 and M-40 ring roads, Madrid, Spain
1997-1998

The scheme is inserted by being parasitical on the transport networks and by infiltrating into spaces of maximum accessibility and temporal proximity to nodal infrastructure interchanges. Access time from any point of the city is thus reduced, minimizing the burden of the notion of place and physical distance as fundamental to architecture by adopting a strategic positioning and seeking patches of low-cost land. Conceived as a continuation of these networks, the units are concentrated at points of the former's greatest quality and intensity, one unit being shored up against another so as to form centers of increasing activity. Conceived as physical locations, infrastructures, they enable programs and activities to be accommodated with the greatest possible freedom. Each empty space degraded by the effect of public works, each patch of low-cost land, becomes an opportunity to develop open-air public spaces and programs, without guidance or management, associated with new forms of inhabiting the city.

The scheme is posited as a specialized segment of the road system: it forms part of the infrastructure system of the city, and as a result appropriates the formal laws and layouts present in its constituent elements. Deriving from this simple idea is its configuration, its raised position vis-à-vis the ground, its way of being inserted into the existing road network and its geometry; a geometry of deceleration. Each unit, a swirl of surfaces twisting like a motorway cloverleaf, generates a vortex of uses and programs. Its covering is a continuous landscape formed by hills, dales and depressions, a product of the three-dimensional deformation of the strip of ground, utilizable as a public space devoid of pre-established programs. In summer the dents and depressions of this continuous surface will be filled with water to form constellations of ponds, where bathers can sunbathe and swim in this sea suspended above the infrastructural networks.

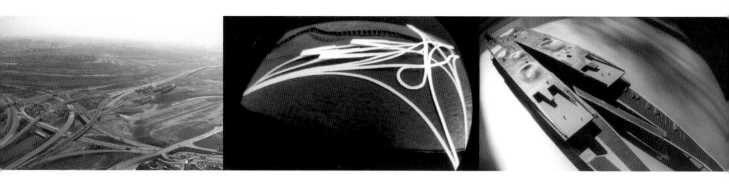

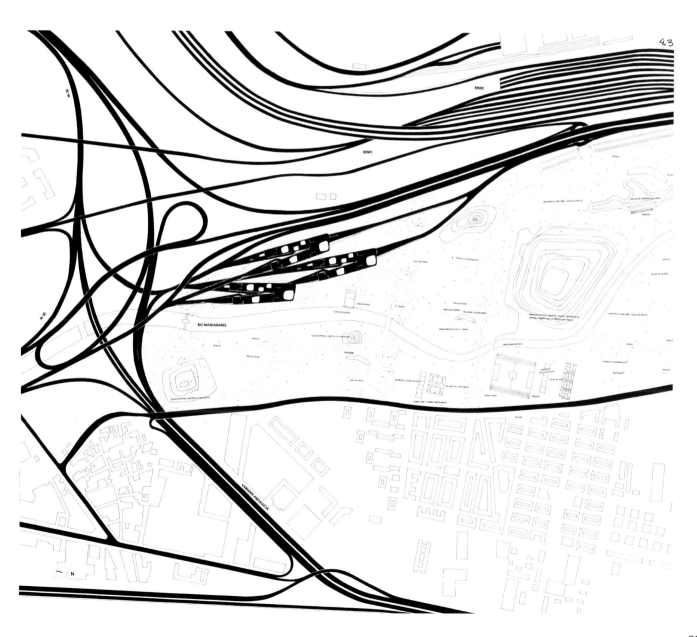

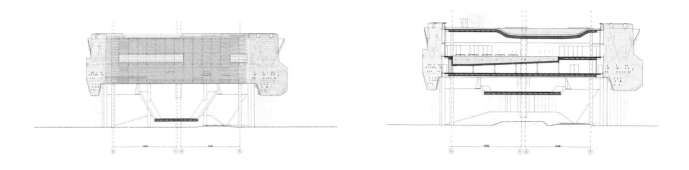

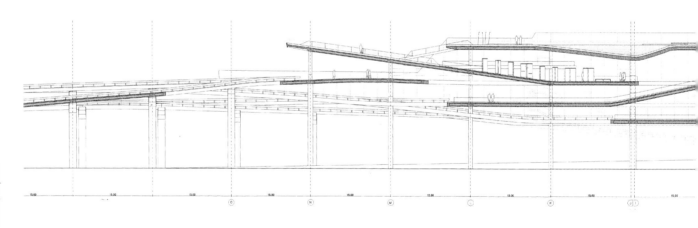

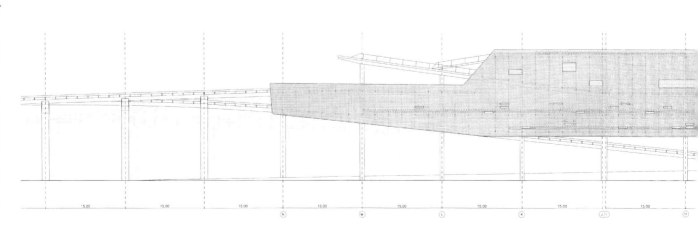

Mar artificial Inserciones en los cinturones M-30 y M-40, Madrid, España

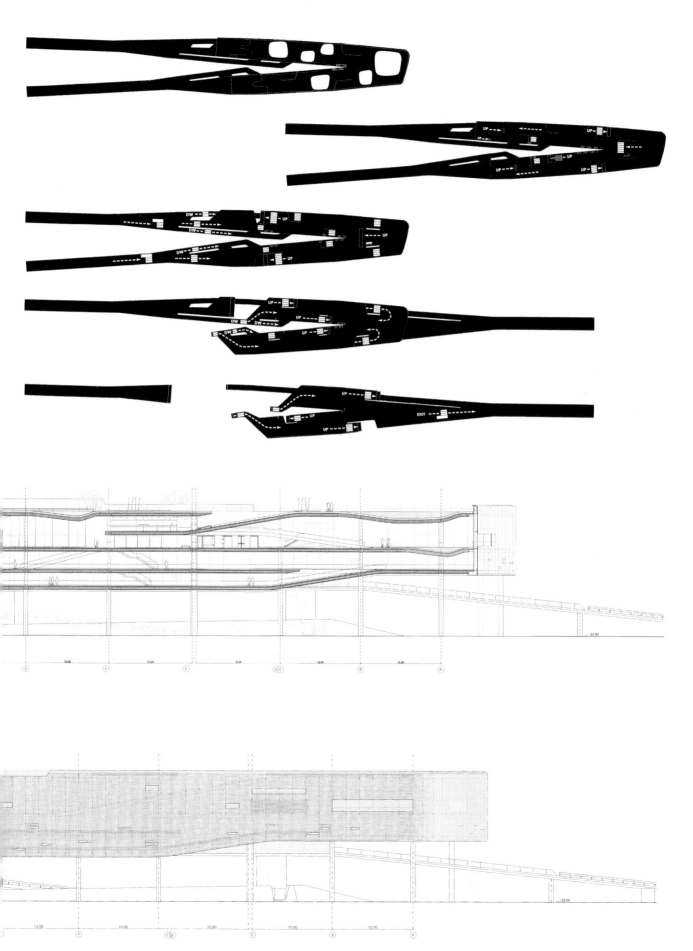

Artificial Sea Insertions in the M-30 and M-40 ring roads, Madrid, Spain

cero9 (Efrén García Grinda y Cristina Díaz Moreno)

Punto de venta Citroën
M-30, nudo del Puente de los Franceses, Madrid, España
1990

Un edificio como un trozo de carretera, como fragmento delimitado y especializado de la infraestructura de la ciudad que, en consecuencia, modifica sus características haciendo propias las configuraciones y leyes formales presentes en los elementos que conforman este sistema.

De esta simple idea deriva su configuración lineal —tubo de sección rectangular— y el modo de insertarse en la red viaria existente. Comparte el color negro con su aparcamiento y con la carretera de la que forma parte. El tubo negro se muestra al usuario como un objeto publicitario: el edificio es un cartel. Por tanto, se eleva del suelo, se orienta adecuadamente de cara al automovilista y, en sus fachadas, se recortan el logotipo y el nombre de la empresa formando huecos visibles a gran distancia. Al mismo tiempo, se tiene en cuenta su imagen nocturna.

Al igual que gasolineras o grandes carteles, el concesionario se sitúa en un vasto espacio, el nudo del Puente de los Franceses de la M-30, y sus dimensiones se hacen mayores de las que exige su función estricta.

Las funciones requeridas en el programa se organizan, dentro de la configuración lineal, en estratos. Por debajo del nivel del terreno se sitúan el almacén —que permite alojar tanto piezas de recambio como vehículos destinados a la venta—, la dependencia de los empleados, los talleres en los que se lleva a cabo el trabajo ruidoso o molesto, así como la maquinaria de acondicionamiento. A nivel del terreno se encuentran el aparcamiento y la venta de coches usados. Ya elevadas, se localizan las actividades ligadas a la venta y exposición de coches nuevos. Por encima de ellas, en las dos últimas plantas, se alojan las oficinas que, a modo de galería, se asoman al espacio central de triple altura dedicado a la venta y exposición de vehículos nuevos. De este modo, todos los usos se insertan en la carretera sin interferencias mutuas, quedando comunicados verticalmente por medios mecánicos.

Algún día alguien cegará las letras, retirará los vehículos y, entonces, el edificio sólo será aquello que desde el principio quiso ser: un trozo de carretera.

cero9 (Efrén García Grinda & Cristina Díaz Moreno)

Citroën Point of Sale
M-30, the Puente de los Franceses interchange, Madrid, Spain
1990

A building as a stretch of road, as a delimited and specialized fragment of the infrastructure of the city which, as a result, modifies its features, making the formal configurations and laws present in the elements constituting this system its own.

The linear layout —a tube, rectangular in section— and its way of being inserted into the existing road network derives from this simple idea. It shares its black color with the parking lot and the roadway of which it forms a part. The black tube appears as an advertising device to the user: the building is a poster. For that reason it is raised above the ground and perfectly oriented towards the motorist, while on its various facades the logo and company name are outlined, forming empty spaces that are visible from afar. At the same time, its nocturnal image is taken into account.

Just like the gas stations and huge billboards, the dealership is situated in a vast space, the Puente de los Franceses interchange of the M-30, and its dimensions are greater than those its final function calls for.

Within the linear layout, the functions required in the program are organized in strata. Situated below ground level are the warehouse —which enables spare parts, as well as vehicles intended for sale, to be accommodated—, the facilities for the employees, the workshop where the noisy or more inconvenient work is carried out, plus the air-conditioning machinery. At ground level are the parking lot and the used-car sales department. Activities relating to the sale and display of new cars are located above. On top of these, on the last two floors, are housed the offices which, gallery-style, abut onto the triple-height central space devoted to the sale and display of new vehicles. In this way the uses as a whole are inserted into the roadway without mutual interference, being vertically connected by mechanical means.

One day somebody will cover up the letters, take the vehicles away, and then the building will become what it set out to be from the start: a stretch of road.

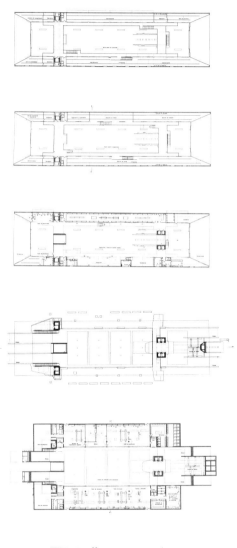

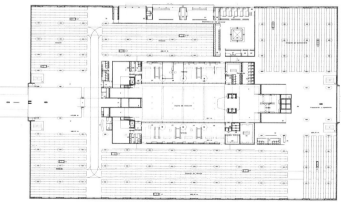

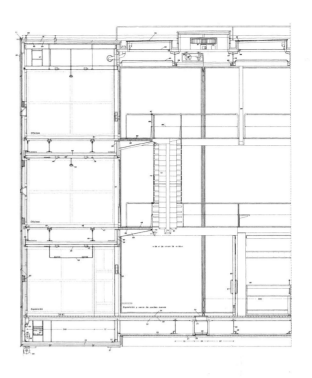

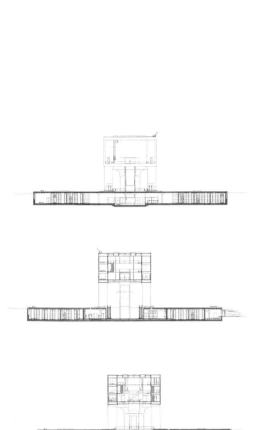

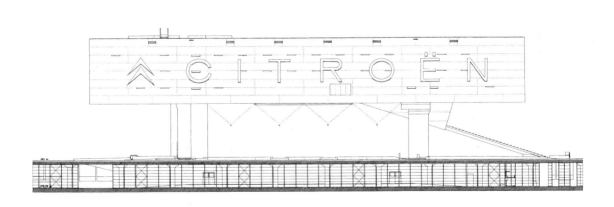

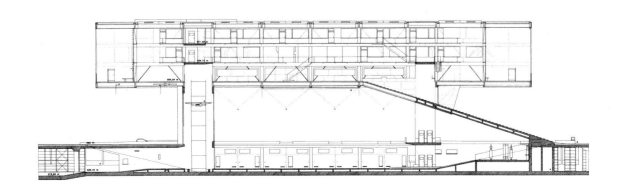

Citroën Point of Sale M-30, the Puente de los Franceses interchange, Madrid, Spain

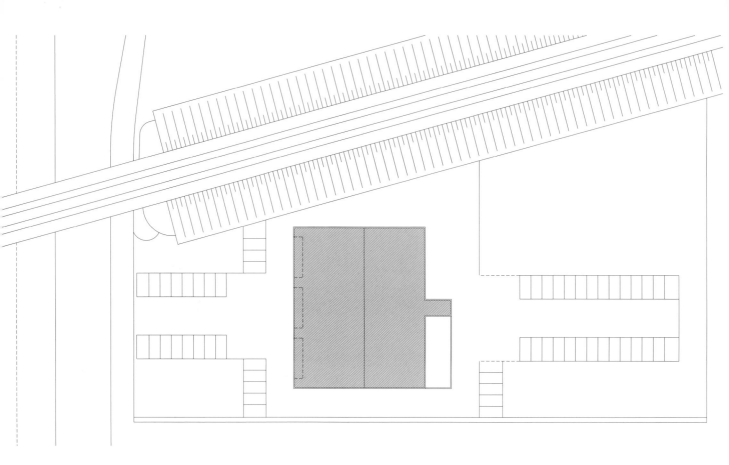

Bernard & Clotilde Barto

Concesionario y almacén de automóviles Île Beaulieu, Nantes, Francia
1987-1989

El concesionario de automóviles es una extensión de asfalto junto a una carretera de la periferia de Nantes. Una parte del concesionario se estratifica en un volumen de tres plantas. El resultado es una edificación con una lógica constructiva extrema. La naturaleza, dimensión y posición de todos los elementos responde a las necesidades esenciales del manejo y exposición de vehículos. Toda esta sistematización de la arquitectura se explota como recurso para captar la atención del conductor, paso previo fundamental para la venta del utilitario.

El volumen engulle hacia su interior todo el paisaje "periférico" que le rodea y del que quiere ser una parte más. La calle asfaltada que termina con una línea blanca nos conduce al interior del edificio. El asfalto sube las escaleras y los automóviles pueden entrar y salir sirviéndose de la calle interior y acceder a los pisos superiores mediante un montacargas. Los transeúntes y los automóviles avanzan en paralelo, como en una calle. Todo se somete a un diseño basado en la depuración y simplificación de los materiales con el fin de mantener la simplicidad y transparencia de una lógica axial.

El vidrio que reviste por completo la fachada separa dos realidades paralelas. La transparencia y reflejo del vidrio muestra el mismo espectáculo. El recorrido por el interior del edificio a través de rampas, escaleras y rellanos son espacios privilegiados para observarlo y celebrarlo.

Cuando, durante un breve lapso de tiempo, el tren pasa a escasos metros, la fachada se convierte en una valla publicitaria más.

Colaborador: A. Peneau-Buroc

Île Beaulieu Car Dealership and Warehousing, Nantes, France
1987-1989

Bernard & Clotilde Barto

This car dealership is an expanse of asphalt next to a highway on the outskirts of Nantes. A part of the dealership is stratified in a three-story volume. The result is a building with a severe constructional logic. The nature, size and positioning of all the constituent elements responds to the essential needs of the handling and showing of cars. The systematization of the architecture as a whole is exploited as a means of grabbing the driver's attention, the essential first step in selling the vehicle.

The volume swallows up all the "peripheric" landscape surrounding it, and of which it seeks to be one more part. The asphalted road ending in a white line conducts us inside the building. The asphalt mounts the stairs and the cars can enter and leave by using the interior street and go up to the upper floors via a freight elevator. The passers-by and the cars move along side by side, as in a street. Everything is subjected to a design based on the purification and simplification of materials, the aim being to maintain the simplicity and transparency of an axial logic.

The entirely glazed facade separates two parallel realities. The transparency and reflectivity of the glass reveals a single spectacle. The route through the inside of the building along ramps, stairways and landings generates privileged spaces for observing and celebrating this.

When a train briefly speeds by a few meters away, the facade becomes just one more advertising billboard.

Collaborator: A. Peneau-Buroc

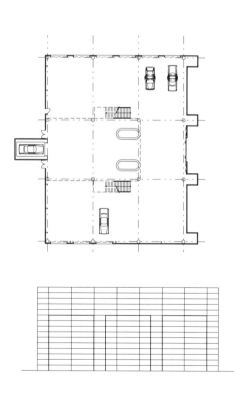

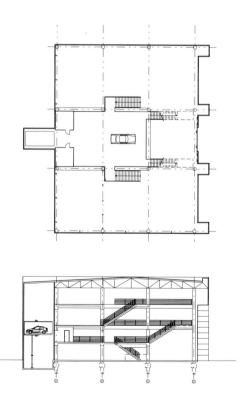

Sinichi Ogawa

Sinichi Ogawa

Área de servicio, Hiroshima, Japón
1991

Restore Station materializa una de las formas clásicas de la arquitectura periférica: un edificio-cartel que señala la realidad que lo produce. Se trata de un área de servicios polivalente ubicada en un solar de forma triangular de 140 metros de largo, situado en una zona montañosa y circundado por un río y una carretera nacional.

El solar se ordena a través de una trama cartesiana con un módulo unitario de dos metros y medio. Cada uno de los componentes de Restore Station —área de aparcamiento, café bar, tiendas y demás servicios— se subordinan y se dimensionan según la trama. Sobre este orden estático se proyectan un continuo de imágenes que reiteran el movimiento de la carretera circundante.

Restore Station, Hiroshima, Japan
1991

Restore Station gives material shape to one of the classic forms of peripheric architecture: a billboard-building that points to the reality producing it. This is a polyvalent service area located on a triangular plot 140 meters long, situated in a mountainous region and surrounded by a river and national highway. The plot is organized via a Cartesian grid with a unit module of 2.5 meters. Each of the components of Restore Station —parking area, bar/cafe, shops and other services— is subordinate to, and defined in size terms by, the grid. Onto this static order a flow of images are projected that reiterate the movement of the surrounding highway.

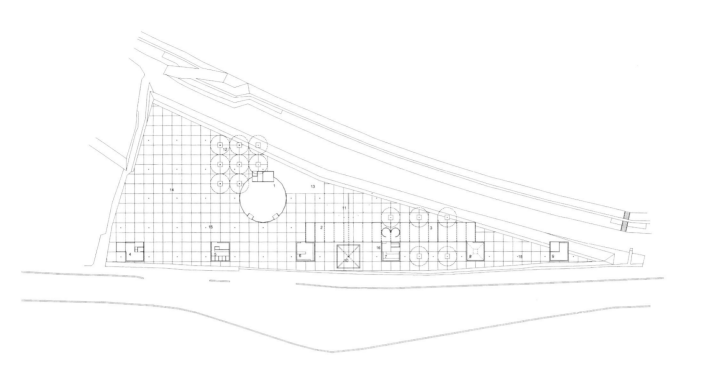

Sophie Berthelier, Philippe Fichet y Benoit Tribouillet

Centro social, Vernouillet, Francia
1997

El centro social de Vernouillet se ubica en un vacío residual entre edificios de nueve plantas esparcidos difusamente sobre el territorio.

El edificio, como un cuerpo extraño, es ajeno a la naturaleza construida de los bloques circundantes. Así pues, en su provisionalidad aparente, el edificio evoca los vehículos y trailers que previamente ocupaban el solar. El edificio consigue, mediante esta alusión a la movilidad y a la provisionalidad, convertirse en una referencia urbana paradójica (característica acentuada por el bajo presupuesto y el diminuto programa, 200 m^2 en planta baja). El reducido centro social logra el objetivo casi utópico de integrarse en Vernouillet sin renunciar a la diferencia, erigiéndose en metáfora de las dificultades sociales (salvables) de la periferia francesa.

El edificio mantiene una relación doble con su entorno: durante el día el revestimiento de chapa metálica perforada ofrece un aspecto hermético y monolítico que, a simple vista, parece ajeno a la realidad circundante; de noche, el mismo revestimiento permite filtrar la luz hacia el exterior convirtiéndose en el nuevo centro luminoso del barrio.

Colaboradores: Béatrice Fichet y Valérie Popot

Sophie Berthelier, Philippe Fichet & Benoit Tribouillet

Social Center, Vernouillet, France
1997

The Vernouillet Social Center is situated in a residential void between nine-story buildings scattered all over the territory. The building, an extraneous body, is alien to the nature, as constructed, of the surrounding blocks. So, in its seemingly provisional quality the building evokes the vehicles and trailers that previously occupied the site. By means of this allusion to mobility and provisionality, the building succeeds in becoming a contradictory urban reference (a characteristic accentuated by its low budget and diminutive program, 200 m^2 at ground floor height). The tiny social center attains the almost utopian objective of integrating itself into Vernouillet without renouncing its difference, setting itself up as a metaphor for the social (but savable) difficulties of the French periphery.

The building maintains a dual relationship with its setting. During the day the facing of perforated metal sheeting has a hermetic and monolithic look which seems, at first sight, remote from the surrounding reality. By night, this same facing allows the light to filter outwards, thus becoming the new, luminous center of the neighborhood.

Collaborators: Béatrice Fichet & Valérie Popot

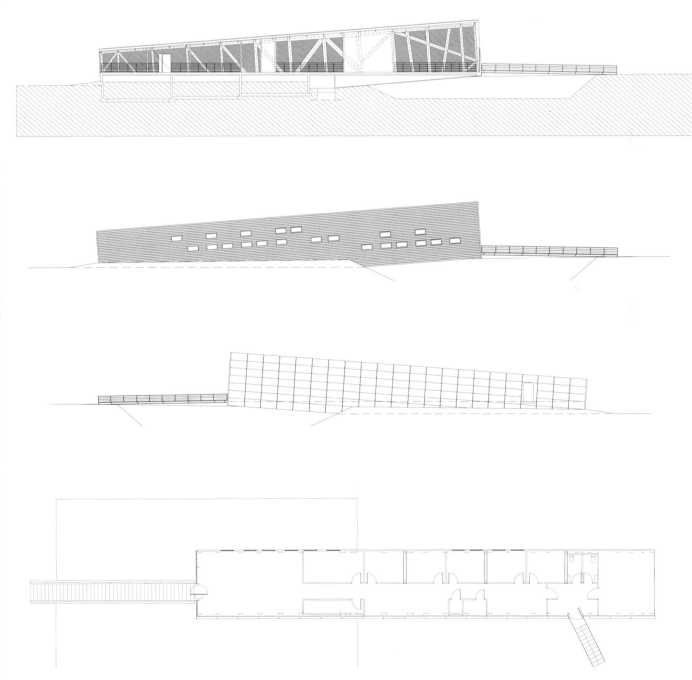

Pabellón de deportes y sala de conciertos, Vitrolles, Francia
1994

Rudy Ricciotti

El pabellón de deportes y sala de conciertos se sitúa en una antigua mina a cielo abierto junto a la carretera que enlaza la localidad de Vitrolles con un polígono industrial. Un vasto monolito opaco y tosco se alza en un entorno arqueológico industrial teñido por los residuos rojos de bauxita. El nuevo uso lúdico del lugar demanda una extensa área de aparcamiento donde la carretera se transforma en una topografía de asfalto sobre la que estacionan los coches en torno al monolito.

El edificio se descompone en dos volúmenes. El vestíbulo y la sala polivalente con gradería, junto a otras dependencias, se insertan en el cuerpo de mayor tamaño. La disposición de un cuerpo menor permite radicalizar el carácter tectónico y opaco del edificio. La separación con el volumen principal permite ocultar la entrada de luz natural al vestíbulo y la separación con la topografía asfáltica permite el acceso peatonal al mismo.

Las diferentes hendiduras sobre la superficie de hormigón de las fachadas y sobre la superficie de asfalto del aparcamiento son las únicas referencias a los eventos que ocurren en el interior.

Todo el presupuesto destinado a espacio verde se concentra en una solitaria palmera metálica, convertida en icono de la sociedad del espectáculo.

Sports Pavilion and Concert Hall, Vitrolles, France
1994

Rudy Ricciotti

This sports pavilion and concert hall is situated in a former open-cast mine next to the road linking the small town of Vitrolles to an industrial estate. A vast, opaque and rough monolith rises from an industrial-archaeological setting strewn with red bauxite waste. The new leisure use of the site requires an extended parking area, and to that end the roadway is transformed into an asphalt topography on which the cars park all around the monolith.

The building is broken down into two volumes. The lobby and multi-purpose sports hall with its seating, along with other facilities, are inserted into the larger of the two bodies. The layout of the smaller body enables the tectonic and opaque character of the building to be radicalized. The separation with the main volume allows the entrance of natural light to the lobby to be hidden, and the separation with the asphalt topography affords pedestrian access to the same.

Different fissures in the concrete surface of the facades and in the asphalt surface of the parking area are the unique references to the events occurring on the inside.

The entire budget for green space is concentrated in a solitary metal palm tree, converted into an icon of the society of the spectacle.

Pabellón de deportes y sala de conciertos, Vitrolles, Francia

Annette Gigon/Mike Guyer

Centro de control ferroviario, Zúrich, Suiza
1998-1999

El tránsito de los trenes de cercanías de Zúrich se controla desde este edificio junto a las vías del tren, cerca del puente de Gottlieb Duttweiler, punto de la ciudad donde las residencias urbanas dan paso a las áreas industriales.

La planta superior del equipamiento se destina a oficinas, con ventanas desde donde se pueden ver las vías. Las dos plantas inferiores contienen la maquinaria, la estación transformadora y demás servicios técnicos. La estructura se resuelve en un doble muro de hormigón que permite mantener una temperatura uniforme en dichos espacios técnicos.

El aspecto del edificio, lejos de integrarse en la trama urbana, opta por asemejarse al paisaje marronáceo de raíl oxidado propio de la infraestructura ferroviaria que recorre la periferia de la ciudad y penetra hacia su centro.

La aplicación de pigmentos sobre la estructura de hormigón con una base química similar al polvo de desgaste del frenado de los trenes permite obtener esta imagen, y logran incluso camuflarlo en el entorno.

Los colores elegidos por el artista Harald F. Müller para el mobiliario de madera de los servicios de los empleados son similares a los aplicados en los objetos y maquinarias de las inmediaciones y que se pueden observar a través de las ventanas de estos mismos espacios: azul fuerte, rojo claro, amarillo y, de nuevo, marrón oscuro.

El tono dorado brillante de las ventanas contrasta con la opacidad del hormigón. Iluminadas de noche desde el interior y altamente reflectantes durante el día, las ventanas simbolizan siempre la función última del edificio: mirar sobre las vías.

Colaborador: Philippe Vaucher
Artista colaborador: Harald F. Müller

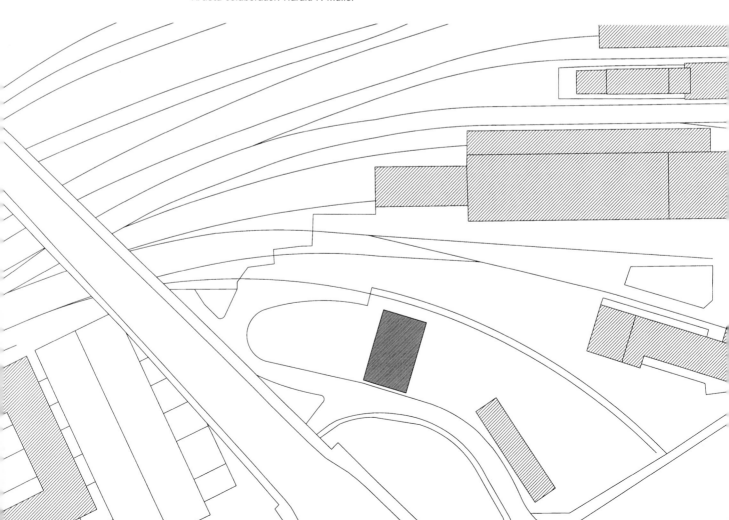

Railway Control Center, Zurich, Switzerland

1996-1999

Annette Gigon & Mike Guyer

Zurich's local train traffic is controlled from this building alongside the railway lines, close to Gottlieb Duttweiler Bridge, the point of the city where urban residences give way to industrial estates.

The upper floor of the facility is intended for offices, with windows from which the rail lines can be seen. The two lower floors contain the machinery, the electricity substation and other technical services. The structure is resolved as a double concrete wall, which enables a constant temperature to be maintained in these technical spaces.

Far from being integrated into the urban fabric, the image of the building opts for imitating the brownish landscape of rusty rails typical of the railway infrastructure that passes through the periphery of the city and penetrates its center.

The application on the concrete structure of pigments with a chemical base similar to the dust emitted by the braking of the trains allows this look to be obtained and even helps camouflage the structure within the surroundings.

The colors chosen by the artist Harald F. Müller for the wood furnishings of the staff facilities are similar to those used in the fixtures and fittings in the immediate area, and can be seen through the windows of these same spaces: bright blue, light red, yellow and, once again, dark brown.

The shiny gold color of the windows contrasts with the opacity of the concrete. Lit at night from within, highly reflective during the day, the windows symbolize the building's ultimate function: to keep a lookout over the rail lines.

Collaborator: Philippe Vaucher
Collaborating artist: Harald F. Müller

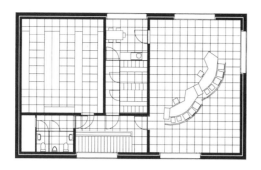

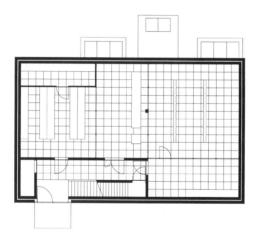

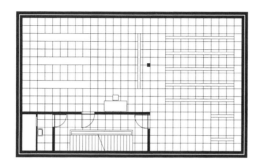

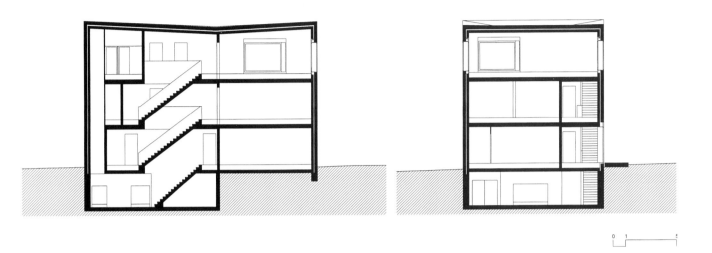

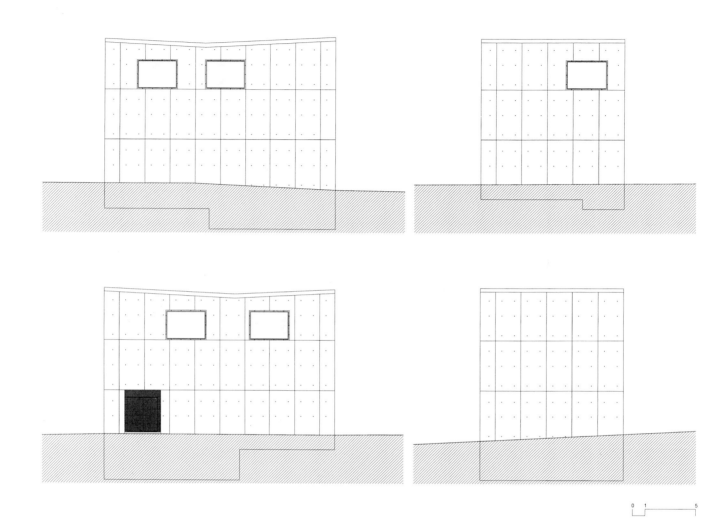

0 1   5

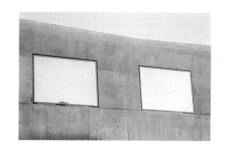

Willem A. Sulsters

Vinex in situ. Noroeste-Suroeste de Holanda

El texto que proponemos a continuación es un resumen del programa Vinex para el desarrollo de determinadas áreas periféricas holandesas y de los debates que se han ido generando a su entorno. Willem A. Sulsters resume, propone y critica por igual los objetivos cambiantes y los resultados, todavía en curso, del proyecto Vinex, destinado a convertirse en referente de la ¨nueva¨ periferia.

Este texto tiene como base los informes acerca de cuatro debates que han tenido lugar en Holanda. La materialización de Vinex in situ se llevó a cabo a través de una serie de debates, en las cuatro esquinas de Holanda, sobre la calidad y la realización del proceso urbanístico Vinex.
Desde 1993 se han elaborado una serie de proyectos para la expansión urbanística de nuevos distritos en toda Holanda, los llamados emplazamientos Vinex. Estos emplazamientos fueron señalados por el Ministerio de la Vivienda, Planificación y Medioambiente en el Ordenamiento Vierde Nota Ruimtelijke (Cuarto Informe de Planificación). Entre 1998 y 2005, se construirán un total de 634.800 nuevas viviendas, según lo establecido por los convenios suscritos por el gobierno central, las provincias y las autoridades locales.

Programa

El desarrollo y la diversidad del programa de construcción de viviendas han traído consigo un cierto grado de desacuerdo. Uno de los objetivos de la política inicial establecía la ratio de cada una de las fuentes de financiación, así como del precio de las viviendas (70 por ciento de viviendas de construcción privada y 30 por ciento de viviendas en alquiler). Esta diversidad y la edificabilidad media de 30 viviendas/ha, responden a una pauta acordada entre el gobierno central y las autoridades locales. Ya sea debido a una "falta de comunicación" entre las diversas instancias, o bien se trate de una interpretación demasiado rígida, esta situación ha dado como resultado programas casi idénticos para cada uno de los proyectos Vinex en diferentes municipios. No hay prácticamente ninguna variación, en el nivel regional, entre los distintos emplazamientos.
En contraste con esto, muchos de los proyectos transmiten la idea tradicional de una vida urbana caracterizada por el deseo de contar con proyectos diferenciados. Para mantenerse dentro de la estrategia comercial —en la línea de los folletos habituales de los agentes inmobiliarios, cuando se trata de viviendas en propiedad—, ofrecen atractivas fotografías de lugares dinámicos llenos de vida. Sin embargo, cualquier análisis de inversión revelaría inmediatamente que la única propuesta viable a diez años vista sería el establecimiento de un supermercado de zona. Las auténticas oportunidades para los proyectos de desarrollo Vinex, podrían residir, quizá, en proyectos a gran escala libres de compromiso y estrechamente ligados a las vías de comunicación. La interacción de los emplazamientos Vinex dentro de las redes urbanas y la centralidad periférica de las redes de transportes debe ser explorada para investigar el desarrollo potencial futuro del programa Vinex. Esto reforzaría el programa al conferirle una fuerte identidad contemporánea.
La paradoja del programa Vinex reside en su diversidad programática, potenciada a la luz de los diferentes tipos de estilos de vida que se ponen de manifiesto en las investigaciones de mercado, y en la construcción de una gran variedad de tipos de viviendas comercialmente estandarizadas, de acuerdo a las líneas fijadas por el gobierno cuyo objetivo está definido simplemente por el ficticio término "ciudadano medio holandés".

Estilos de vida

Proyectar el suburbio contemporáneo es, en gran medida, dar forma y expresión a lo que es un lugar común. "Nunca pasa absolutamente nada en este vecindario, y así es como me gusta que sea", dijo en una ocasión un vecino de uno de estos emplazamientos suburbanos. La accesibilidad en automóvil de los emplazamientos periféricos es, seguramente, su mejor baza. La realidad del desarrollo Vinex, que se encuentra ahora en construcción, es de una homogeneidad programática, "devoradora de terreno", lo que, por definición, caracteriza a muchos emplazamientos periféricos. Dormir, coger el tren de cercanías, y dormir de nuevo. La vida de los residentes con doble fuente de ingresos del programa de viviendas Vinex, es cómodamente sencilla por repetitiva.
La monotonía y uniformidad del programa de viviendas Vinex es vista por muchos de sus críticos como algo profesionalmente carente de interés. Sin embargo, las investigaciones sobre las preferencias en materia de vivienda revelan que los potenciales compradores de una vivienda Vinex no muestran ningún interés por la idea del "modo de vida urbano" tradicional, aunque están interesados por los estilos arquitectónicos tradicionales. La estrategia comercial de la arquitectura Vinex se centra en la visión del estilo

Willem A. Sulsters

Vinex On Site. Northwest-Southeast Holland

The following text is a résumé of the Vinex program for developing certain peripheric areas in Holland, and of the debates that have been generated around this. Willem A. Sulsters summarizes, puts forward and also criticizes the changing objectives and results, still underway, of the Vinex project, a project destined to become a major reference for the "new" periphery.

This text is based on the reports of four debates held in the Netherlands. The Vinex On Site manifestation consisted of a series of debates in all four corners of the Netherlands on the quality and realization of the Vinex planning process.
Since 1993, plans have been drawn up for new urban expansion areas throughout the Netherlands, the so-called Vinex locations. These locations were earmarked by the Minister for Housing, Planning and the Environment in the Vierde Nota Ruimtelijke Ordening (Fourth Planning Report). A total of 634,800 new dwellings will be constructed between 1998 and the year 2005, and this is laid down in covenants underwritten by central government, the provinces and the local authorities.

Program
The development and diversity of the house-building program has brought with it a degree of misunderstanding. One of the initial policy aims laid down the ratios between different financial categories and housing prices (70% private sector dwellings and 30% rental dwellings). This diversity, and the average density of 30 dwellings per hectare, is a general guideline agreed upon by central government and local urban authorities. Whether owing to "miscommunication" between levels of decision-making, or rigid interpretation, this has resulted in almost identical programs for each Vinex location in each municipality. There is hardly any programmatic variation at regional level between the locations.
In contrast to this, many design presentations convey a traditional idea of urban life mainly characterized by the desire for a diversified program. In keeping with the marketing strategy, the average estate agent brochure for owner-occupied homes comes with seductive imagery of dynamic centers full of life. Yet any investment analysis will immediately reveal that a single local supermarket is the only feasible proposition for the coming decade.
The real dynamics and opportunity for suburban Vinex developments may perhaps lie in large-scale, foot-loose programs closely related to transport interchanges. The interaction of the Vinex locations within the urban networks and the peripheral centrality of transport networks must be exploited in order to ascertain the future development potential of the Vinex program. This could reinforce Vinex with a strong contemporary identity.
The paradox of the Vinex program lies in its potential for programmatic diversity in light of the range of new lifestyles that are being revealed by market research; and in the construction of huge numbers of commercially standardized dwelling types in accordance with central government guidelines for a target group defined simply by the fictitious "average Dutch citizen".

Lifestyles
Designing the contemporary suburb is to a large extent a question of giving form and expression to the commonplace. "Absolutely nothing ever happens in this neighborhood and that's the way I like it," as a suburban dweller once said. The accessibility of peripheral locations by car is probably their strongest asset. The reality of Vinex developments now under construction is one of land-devouring programmatic homogeneity, which by definition characterizes many peripheral locations. Sleep, commute, work, commute, and sleep again... The life of the double-income Vinex residents is comfortably simple by its repetitiveness.
The monotony and uniformity of the Vinex housing program is seen by many critics as professionally uninteresting. Yet research into housing preferences reveals that potential Vinex house-buyers are absolutely uninterested in the idea of traditional "urban living", but they are interested in traditional styles of architecture. The marketing of Vinex architecture focuses on a rather narrow view of the lifestyle of the urban dweller who escapes the city in search of space and serenity. In contrast to the prevailing architectural culture in Holland, a design style rooted in (regional) traditionalism is in great demand from the general public; this is illustrated by the enormous popularity of Brandevoort and Haverleij. Developers exploit such popular tastes and are keenly interested in the development of differences in lifestyle, using them as an important marketing tool.
Nevertheless, the Vinex dwelling is also a product for mass-consumption, with qualities that seem unre-

de vida, aún más limitada, del habitante urbano que desea escapar de la ciudad en busca de más espacio y tranquilidad. En contraste con la cultura arquitectónica predominante en Holanda, la demanda por parte del público general se dirige a un estilo enraizado en la tradición regional, tendencia que se ilustra en la enorme popularidad de Brandervoort y Haverleij. Los promotores aprovechan este gusto popular y se interesan en el desarrollo de diferencias en el estilo de vida, utilizándolas como un importante instrumento de márketing.

De todos modos, las viviendas Vinex son también producto del consumo masivo, con cualidades que parecen no tener relación con un contexto (regional) en el que, aparentemente, los residentes están poco interesados. Las preferencias de los consumidores no han llevado aún a que el habitante se convierta en "constructor". La propuesta de vecindarios constituidos por casas prefabricadas de catálogo es el primer indicio de una renovación del interés en la participación directa de los habitantes.

Se otorga poca importancia al proceso de cambio radical en el equilibrio de composición de la población. Vinex se está convirtiendo en una invasión de gente en emplazamientos que, hasta hace poco, eran dominio exclusivo de los "genuinos aldeanos". Este hecho perturba el proceso demográfico y plantea interrogantes acerca del entorno residencial de estos "aldeanos de ciudad". A este respecto, Vinex parecería formar la previsible "periferia blanca", habitada por parejas con doble fuente de ingresos, con –o que esperan— descendencia, en un entorno socialmente equilibrado: Vinex resulta el entorno residencial ideal para la pareja autóctona con doble fuente de ingresos.

La paradoja de los estilos de vida que se dan en Vinex reside en un deseo compartido de expresión individual y la infinita variedad arquitectónica en la vivienda estándar. Una identidad colectiva basada en dotar de diseño al "lugar común", y la influencia de los residentes en el entorno o la arquitectura de sus viviendas, es algo que está completamente en desacuerdo con un proceso de planificación urbanística que se debe ajustar a un proyecto y que está orientado al mercado.

Redes

El término 'red' puede significar tanto red física (infraestructura), ecológica (paisaje y naturaleza), como red mental (percepción colectiva de la ciudad). "El auténtico símbolo de los suburbios no es la vivienda independiente unifamiliar, sino el coche y la vía de acceso para éste". La movilidad es un requisito esencial para la vida suburbana. Puede pensarse en una nueva forma de vida urbana, donde el suburbio sirva como base para operaciones de rutina diaria desarrollada en muchos lugares distintos dentro de una red urbana "polinuclear".

La mayoría de los emplazamientos Vinex tienen una posición ambivalente dentro de la red urbana, entre los centros urbanos y la zona fronteriza con el paisaje del campo. La búsqueda de entornos en la periferia de la ciudad, no es, en ningún lugar, ni más fuerte ni más diversa, que en Vinex.

La relación de Vinex con las concentraciones urbanas preexistentes y los fragmentos de paisaje natural deberían tomar forma de diversos modos: a nivel de estructura de proyecto, así como de decisión de política urbanística. Ya que la gente tiene una mayor variedad de tipos de vivienda para escoger, las áreas urbanas menos populares, entre ellas, muchos de los barrios de posguerra, pueden caer en un período de decadencia. En cierta medida, la cuestión de la calidad individual de las ubicaciones Vinex está subordinada al concepto, considerado con acierto, de futuro desarrollo global de la zona. La idea del crecimiento de una ciudad hasta convertirse en un entramado de redes metropolitanas diferenciadas está en pleno apogeo y todo indica que el Ordenamiento de Vijfde Nota Ruimetlije (Quinto Documento Político de Planificación Urbanística) debería concentrarse principalmente en este asunto.

Dentro de las redes, la paradoja más importante de Vinex se encuentra en el intento político de reforzar las estructuras urbanas existentes y reducir el transporte de cercanías. Vinex equivale a un desarrollo masivo de una periferia urbana a la que es difícil acceder mediante el transporte público. Y el retraso en proporcionar transporte público causará un aumento de los desplazamientos diarios y del ritmo del desarrollo periférico, así como un debilitamiento de la base de soporte de los servicios en los centros urbanos existentes.

Dinámica

La idea de que la ciudad puede ser el área ideal para el desarrollo de la dinámica social debería ser la base sobre la que considerar la cuestión del tiempo en el proceso de planificación urbanística de Vinex. La respuesta adecuada a una dinámica imprevisible, así como al cambio inherente al paso del tiempo, podría quizás encontrar respuesta en una creación sobredimensionada, o en incorporar la neutralidad estructural en los esquemas de planificación. La noción de un "urbanismo de la tolerancia" es también digna de experimentación. La fijación de las funciones mediante esquemas legales limita el alcance del cambio futuro y la variación de las funciones. Pensar en términos más que en funciones podría abrir nuevas perspectivas.

La dinámica del cambio constante en la que "se acomodan" los sistemas urbanos, podría examinarse mediante la observación del desarrollo urbano. La complejidad y riqueza de los centros urbanos existentes no puede

lated to the (regional) context in which, apparently, residents are scarcely interested. Consumer preferences have not as yet led to the resident as "house builder". The proposal for neighborhoods made up of off-the-shelf dwellings chosen from catalogues is the first indication of renewed interest in direct participation by residents.

Little attention is being given to processes of radical change to the balanced population composition. Vinex is resulting in an invasion of people into locations that until recently were the domain of "genuine" villagers. This disrupts the process of population composition and raises questions about the residential environment of these new "urban villagers". In that respect Vinex would seem to form the predictable "white fringe" populated by double-income couples, with or expecting a family, in a familiar and socially balanced environment: Vinex as the optimal residential environment for the indigenous double-income couple.

The paradox of Vinex lifestyles lies in a commonly shared desire for individual expression and the endless variety of architecture for the standard dwelling. A collective identity based on the design of the commonplace and the influence of residents on their housing environment or architecture is at loggerheads with the project-like and market-oriented process of physical planning.

Networks

The term "network" can be taken to mean the physical (infrastructure), ecological (landscape and nature) and mental networks (collective perception of the city). "The only true symbol of suburbia is not the single-family detached house but the car in its drive." Mobility is an essential prerequisite for suburban life. A new form of urban life can be discerned, one in which the suburb serves as an operating base for daily routine spent at many places in the polynuclear urban network.

Most Vinex locations have an ambivalent position somewhere within the urban network, between the urban centers and rudiments of open countryside. The search for the identity of urban-fringe environments is nowhere as strong or diverse as in Vinex.

The relationship of Vinex to existing urban concentrations and fragments of landscape should be formed in many ways: at the level of the structure of the plan and at physical planning policy-making level. Since people have a greater range of dwellings from which to choose, less popular urban areas will fall into decay, among them many postwar neighborhoods. To a certain extent, the issue of the quality of individual Vinex locations is subordinate to a well-considered concept for the comprehensive future development of the region. The process of growth from a city into a differentiated metropolitan network is in full swing and all indications are that the Vijfde Nota Ruimtelijke Ordening (Fifth Policy Document on Development) should mainly concentrate on this subject.

The most important paradox of Vinex within the networks lies in the policy aim of strengthening existing urban structures and reducing commuter transport. Vinex amounts to a massive development of the urban fringes that are difficult to reach by private or public transport. And delays in providing public transport will cause an increase in commuting and in the pace of peripheral development, as well as in a weakening of the support base for services in existing urban centers.

Dynamics

The idea that a city can be the venue for the dynamics of society should be a reason for considering the issue of time in the Vinex planning process. A suitable response to unforeseeable dynamics and change over time could perhaps lie in creating over-dimensioning or incorporating structural neutrality in planning frameworks. The notion of an "urbanism of tolerance" is also worthy of experimentation. The fixing of functions through legal frameworks limits the scope for future change and variation on function. Thinking in terms of activities rather than of functions could open up new perspectives.

The dynamics of continual change in the way urban systems are "accommodated" can be examined by monitoring urban development. The complexity and richness of existing urban centers cannot be "designed" in the first phase of a planning process. "Urban quality cannot be created; it simply evolves." Rigid planning frameworks are disastrous for future transformations. Flexibility and scope for change in a planning scheme is hindered by the project-like approach and financial constraints characteristic of the entire development process. Still neutral, formal frameworks are better equipped to allow scope for the urban growth and development.

Any assessment of the future value of Vinex is dependent on how differentiated the housing is and whether it forms the right addition to existing housing stock. The huge numbers of rapidly selling dwellings of similar type, density and price, and in a programmatically lean environment, are still performing well in the current booming economic period. Nevertheless, major construction companies do take seriously

"proyectarse" en la fase inicial de un proceso de planificación urbanística. "No se puede crear la calidad urbanística; simplemente evoluciona". Los esquemas de planificación rígidos son un desastre para transformaciones futuras. La flexibilidad y un margen para el cambio dentro del esquema de la planificación se ven obstaculizados por el enfoque que quiere "proyectarlo todo" y por las limitaciones financieras características de todo este proceso de desarrollo. Aun siendo neutrales, los esquemas formales están mejor preparados para permitir un margen de crecimiento y desarrollo urbano.

Cualquier estimación del valor futuro de Vinex depende de cómo sea la diversidad de viviendas, y de si ésta constituye una adición correcta a la provisión de viviendas existente. La enorme cantidad de viviendas de venta rápida de tipo similar, la densidad y el precio, en un entorno programáticamente escueto, están comportándose bien todavía, en medio de este período de apogeo económico. De todos modos, las empresas constructoras más importantes se toman muy en serio el peligro de una sobreproducción, y están considerando la posibilidad de disminuir el ritmo de construcción.

La paradoja de la dinámica Vinex es el resultado de un esquema urbano flexible que puede adecuar el crecimiento y la transformación y la fuerte oposición cultural a este tipo de esquemas debido a su carácter "monótono" y su "invisibilidad".

Nuevas políticas

La política original de Vinex tenía como objetivo reforzar la estructura de las ciudades existentes. Deberían haberse considerado como opciones iniciales volver a desarrollar y aumentar la densidad de construcción en las áreas del centro de las ciudades, y sólo más tarde, haber considerado el desarrollo en las periferias urbanas. Las zonas Vinex, ampliaciones dentro de la periferia, deberían haberse considerado junto con el nuevo desarrollo y la remodelación de los centros urbanos existentes. Esta política es una continuación del concepto, ya evaluado, de "ciudad compacta".

Para operar siguiendo las líneas dictadas por el mercado y para diversificar el riesgo de la inversión que requiere el proceso de planificación entre las partes, hay cierta tendencia a dejar que el mercado se regule por sí mismo. Pero Vinex ilustra que el sector privado tiene un conocimiento insuficiente de las cuestiones relacionadas con la planificación urbanística. Los emplazamientos Vinex no llegan a constituir sino una masa uniforme de viviendas nuevas, precisamente lo que el mercado dicta.

La responsabilidad de dirigir el proceso de planificación de Vinex se ha trasladado, por consiguiente, de las autoridades locales a los promotores inmobiliarios que tuvieron éxito a la hora de comprar solares. Han adquirido una fuerte posición de influencia en toda Holanda. No pregunte cómo, pero las autoridades habían señalado los emplazamientos de Vinex, aun antes de que los mismos hubiesen sido adquiridos.

Esta paralización del esquema aumenta y los jardines de Vinex son la triste evidencia de la incapacidad para dirigir desarrollo y calidad. La combinación del precio del suelo y de la influencia del mercado son las que, en una espiral descendente, hacen prácticamente imposible conseguir un nivel de calidad que a todo el mundo gustaría alcanzar; el resultado es la monotonía. Un esquema de planificación de trazo estricto no es lo que el autor del proyecto desea, pero está dictado por los procesos de desarrollo del suelo edificable, procesos económicos y de dirección del proyecto, lo que en esencia hace que uno se concentre en minimizar el riesgo y maximizar el beneficio. Los resultados son viviendas muy pequeñas que exhiben una tendencia neurótica a expresar la identidad a través de la arquitectura de fachada. Las políticas y los instrumentos de planificación son denominados "operaciones militares limitadas".

A lo largo de todo el proceso, el papel y la posición del planificador urbano deben ser tales que le sea posible abordar esta paradoja sin tener que preocuparse de la disciplina de la planificación física y urbanística. La calidad integral no puede alcanzarse, si a la "disciplina de proyecto" sólo se le exige que cree condiciones para una arquitectura "bonita" al final de todo el proceso de planificación.

La paradoja de la nueva política de Vinex reside en el hecho de que el gobierno ha adoptado un papel poco relevante y la planificación física se deja, en gran medida, a merced del mercado. El gobierno parece estar ahora decepcionado con los resultados que han sido dictados por este mercado.

Por otra parte, muy poco de la política inicial ha producido el efecto que se esperaba. Los resultados de Vinex ilustran las consecuencias de este contrasentido. Más demanda de influencia por parte del mercado, paradójicamente, más control por las, cada vez menos influyentes, autoridades en otro nivel de decisión política regional.

WSA Consultants. Rotterdam. www.wsa.nl

the danger of overproduction and are considering slowing down the pace of construction.

The paradox of the Vinex dynamic is the result of the need for flexible urban frameworks that can accommodate growth and transformation, and the strong cultural opposition to such frameworks on account of their "featureless" character and "invisibility".

New Policies

The original Vinex policy aims focused on strengthening the structure of existing cities. Redeveloping and increasing building densities in inner-city areas were to have been studied as the first option, and only after that would development on the urban fringe be considered. The Vinex areas, expansions on the fringes, were to have been considered in tandem with the redevelopment and renewal of existing urban centers. The policy is a direct continuation of the tested "compact city" concept.

To operate along lines dictated by the market and to spread investment risk among the parties to the planning process, there is a tendency to let the market take its course. Yet Vinex illustrates that the private sector has an insufficient grasp of urban planning issues. Vinex locations amount to nothing more than a uniform mass of new dwellings, precisely what the market dictates.

The responsibility of directing the Vinex planning process has therefore been passed from local authorities to property developers who were successful in acquiring sites. They have acquired a strong position of influence throughout the Netherlands. Don't ask how, but the authorities publicly earmarked the sites for Vinex development even before those sites had been acquired.

The cramped plot sizes and Vinex domestic gardens are the sad evidence of this inability to steer development and quality. It is the combination of land prices and market influence that, in a downward spiral, make it almost impossible to achieve the level of quality that everybody would like to see achieved; the result is monotony. A strictly delineated planning scheme is not the preference of the designer, but is dictated by the processes of land development and financial and project management, which in essence focus on minimizing risk and maximizing profit. The results are extremely small dwellings that display a neurotic tendency to express identity by means of facade architecture. Planning policies and instruments are themselves referred to as "confined military operations".

Throughout the whole process, the role and position of the urban planner will have to be such that he is capable to addressing this paradox out of concern for the discipline of physical and urban planning itself. Integral quality cannot be achieved if the "design disciplines" are only required to create the conditions for "nice" architecture at the end of the planning process.

The paradox of the new Vinex politics lies in the fact that the government is adopting a less prominent role and physical planning is largely left to the market. The government now seems disappointed with the market-dictated results.

Moreover, very little of the original policy has produced its intended effect. The results of Vinex illustrate the consequences of the paradox. More market influence demands, paradoxically enough, more control by the now less-influential authorities at another, regional, level of policy-making.

WSA Consultants, Rotterdam - www.wsa.nl

Vinex On Site. Northwest-Southeast Holland

Pixel-City, Wateringse Veld, La Haya, Holanda

1996

NL Architects (Pieter Bannenberg, Walter van Dijk, Kamiel Klaase y Mark Linnemann)

Pixel-City es una estrategia alternativa para el plan de desarrollo de Wateringse Veld, en el sector suroriental de La Haya. Esta zona, increíblemente hermosa, llena de granjas, invernaderos y prados, es prácticamente la única escapada posible fuera de una ciudad congestionada. En poco tiempo, las amables peculiaridades de este paisaje se irán perdiendo para dejar paso a una gran expansión urbana, construida con una única tipología.

Pixel-City desmenuza esta densidad regularizada y propone una serie de grandes edificios. En vez de 8.000 casas unifamiliares que convertirían al lugar en una tábula rasa, se proponen unos 60 grandes edificios que transformen en lugar en un paisaje pixelado, utilizando aquello que ya se encuentra en el lugar. Pixel-City sugiere que puede ser divertido vivir entre invernaderos, vacas y prados, un parque de oficinas o un campo de golf, entre canchas de tenis o, quizás, al lado de un vertedero o un aparcamiento; que todo esto es preferible a vivir en un área destinada exclusivamente a las viviendas.

Pixel-City, Wateringse Veld, The Hague, Holland

1996

NL Architects (Pieter Bannenberg,
Walter van Dijk, Kamiel Klaase & Mark Linnemann)

Pixel-City is an alternative strategy for the development plan of Wateringse Veld, in the southeast sector of The Hague. This incredibly beautiful area, full of farms, greenhouses and meadows, is almost the only escape possible from a congested city. Before long, the charming peculiarities of this landscape are going to be lost and will give way to a vast urban expansion, constructed according to a single typology.

Pixel-City breaks up this regularized density and proposes a series of large buildings. Instead of 8,000 single-family houses, which would convert the location into a tabula rasa, some sixty large buildings are proposed which transform it into a pixeled landscape, using what is already found in the area. Pixel-City suggests that it may be amusing to live among greenhouses, cows and meadows, a park of offices or a golf course, among tennis courts, or maybe beside a rubbish dump or a parking lot; that all this is preferable to living in an area intended exclusively for housing.

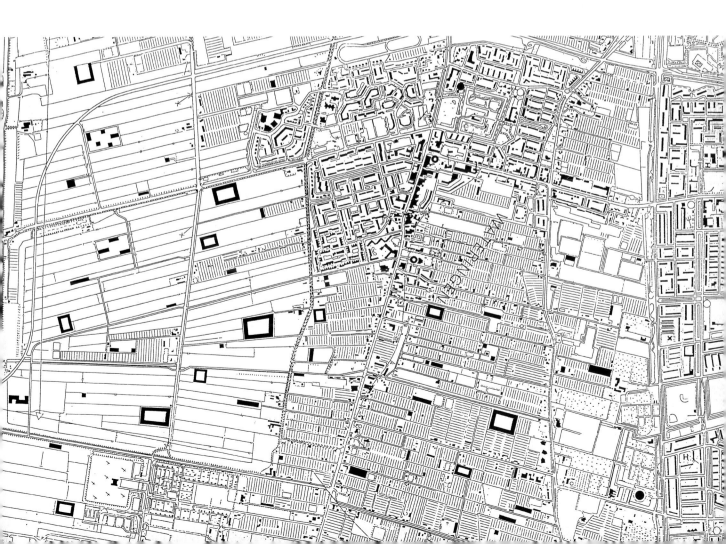

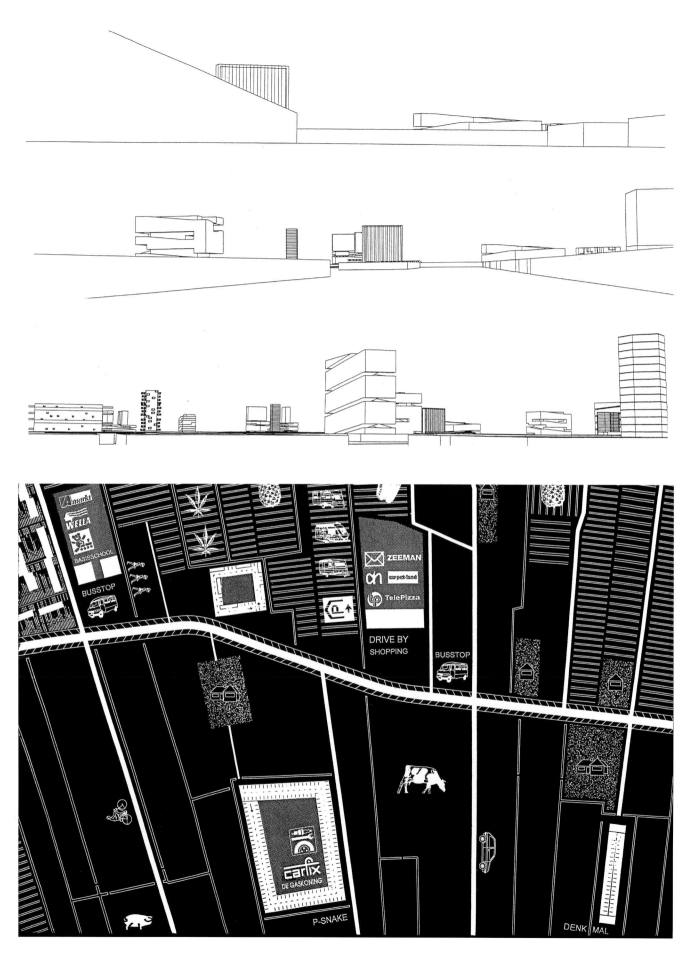

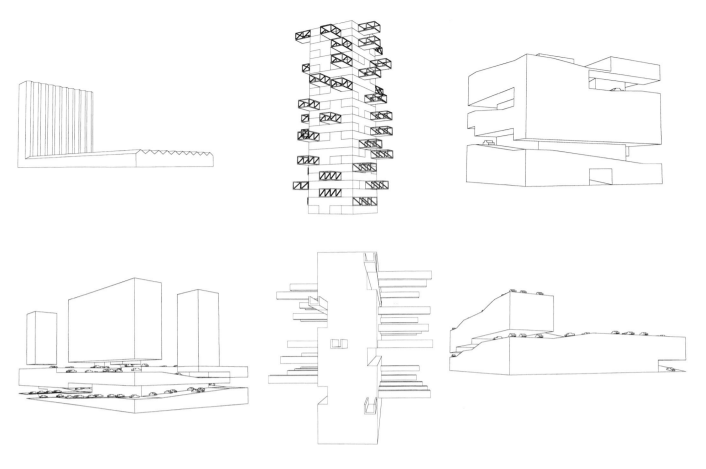

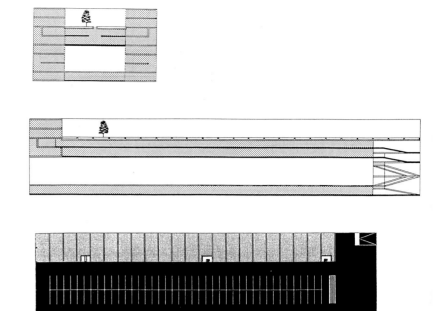

Hall constituye un primer plano de la estrategia general de Pixel-City. Se trata del primer edificio en la planificación de una futura ciudad. Hall contiene 122 viviendas, capaces de utilizar satisfactoriamente un campo abierto de tan sólo 40 x 125 metros, dentro de una superficie total de 35.000 metros cuadrados, la nueva infraestructura se incorpora en el interior del edificio. El idílico camino rural que comunica los invernaderos se convierte así en una carretera pintoresca. El paisaje se pixela; casi se virtualiza, sin perder un ápice de su carácter.

Hall forms a close-up plan of the general strategy for Pixel-City. This is the first building in the planning of a future city. Hall contains 122 apartments, capable of satisfactorily utilizing an open space of merely 40 x 125 m, within a total surface area of 35,000 m², the new infrastructure being incorporated in the interior of the building. The idyllic country path linking the greenhouses thus becomes a picturesque road. The landscape is pixeled; it is almost virtualized, without losing an iota of its character.

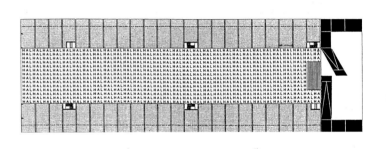

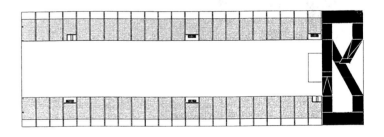

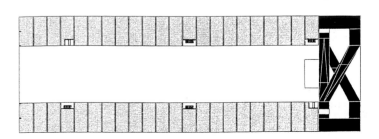

Pixel-City, Wateringse Veld, The Hague, Holland

Tom Mossel, Casper Vos y Stefan Witteman

Comfort Zone, Amersfoort, Holanda

1998

Los distritos periféricos de las poblaciones se caracterizan por la homogeneidad de su paisaje. Comfort Zone es un ensayo que propone hallar la identidad de los nuevos crecimientos en la especificidad del entorno periférico en el que se sitúan.

El estudio trata el centro de un nuevo suburbio de la ciudad holandesa de Amersfoort. El lugar está caracterizado por la autopista que le rodea y la línea férrea que lo cruza. En estas condiciones de entorno, la cuestión que se plantea es cómo conseguir unas apropiadas condiciones de confort de vida y trabajo sin negar la presencia de la infraestructura. ¿Cómo integrar en este entorno el carácter público de un centro y la naturaleza privada de la vivienda? La consideración de los niveles acústicos emitidos por la vía férrea y la autopista junto con los grados de incidencia solar, determina la forma de este nuevo crecimiento. Los 65 dB de sonido y los 45 grados de ángulo solar definen una escultura urbana, un paisaje de elevaciones programables. La forma del paisaje urbano se precisa previamente a la definición de un programa, en un proceso que supone una ventaja dada la, a veces, difusa delimitación de las distintas funciones.

La profundidad de los edificios crea una composición por capas de espacios iluminados u oscuros que combinan usos diferentes. Los usos de vivienda y oficina, combinables en una misma estructura de distribución, siempre están en contacto con el exterior, cubriendo un interior que alberga tiendas, complejos deportivos y aparcamientos. Esta densificación se convierte en una infraestructura periférica que aúna el espacio verde, la accesibilidad y la heterogeneidad propia de la vida urbana.

Tom Mossel, Casper Vos & Stefan Witteman

Comfort Zone, Amersfoort, Holland

1998

The outlying areas of small towns are typified by the homogeneity of their landscapes. Comfort Zone is an attempt to ascertain the identity of new growths in the specificity of the peripheric setting in which they are situated.

The study is of the center of a new suburb of the Dutch town of Amersfoort. The location is characterized by the motorway that surrounds it and the rail line that bisects it. Under these environmental conditions, the question is how to arrive at the right levels of comfort for living and working without negating the presence of the infrastructure. How to integrate the public character of a center and the private nature of housing within this setting? Consideration of the noise levels emitted by the rail line and motorway, together with the angle of incidence of the plots, determines the form of this new growth. The 65 dB of sound and the 45° angle of the ground define an urban sculpture, a landscape of programmable elevations. The form of the urban landscape is determined prior to the definition of a program, in a process that presupposes an advantage, given the at-times diffuse delimitation of the various functions.

The depth of the buildings creates a composition of layers of illuminated and dark spaces that combine different uses. The house and office uses, combinable in a single layout structure, are always in contact with the outside, straddling an interior that accommodates shops, sports complexes and parking areas. This densification is converted into a peripheric infrastructure that unites green space, accessibility and the heterogeneity typical of urban living.

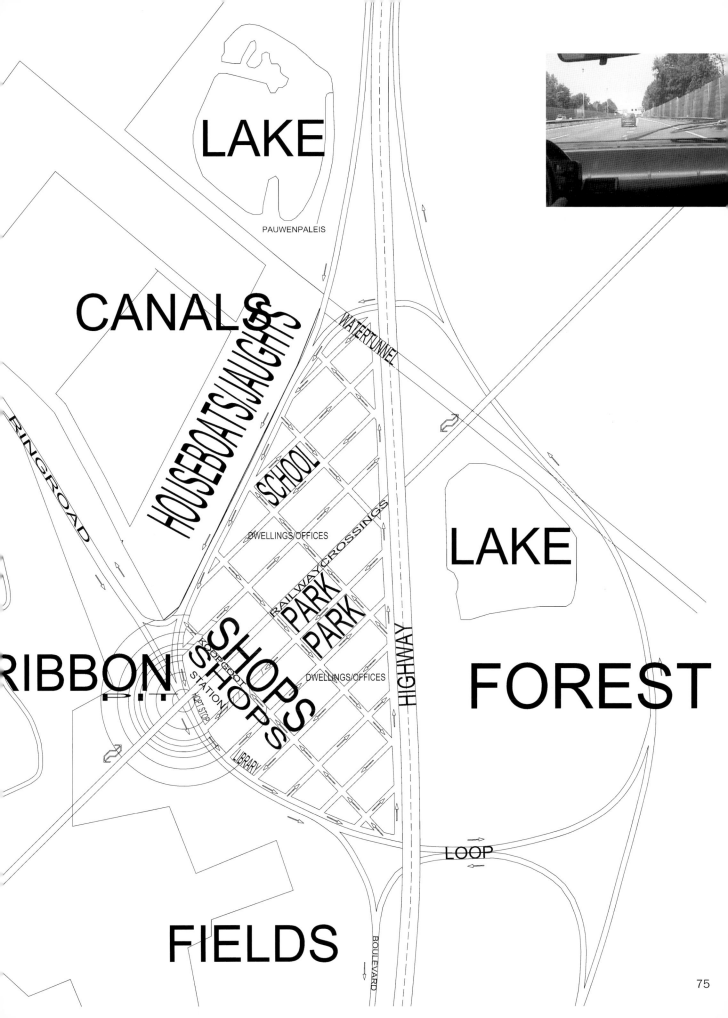

LAKE

PAUWENPALEIS

CANALS

HOUSEBOATS/JAUGHTS

WATERTUNNEL

SCHOOL

DWELLINGS/OFFICES

RAILWAYCROSSINGS

RINGROAD

RIBBON

KOOPGOOT

SHOPS

SHOPS

STATION

HALTSTOP

LIBRARY

PARK

PARK

DWELLINGS/OFFICES

LAKE

HIGHWAY

FOREST

LOOP

FIELDS

BOULEVARD

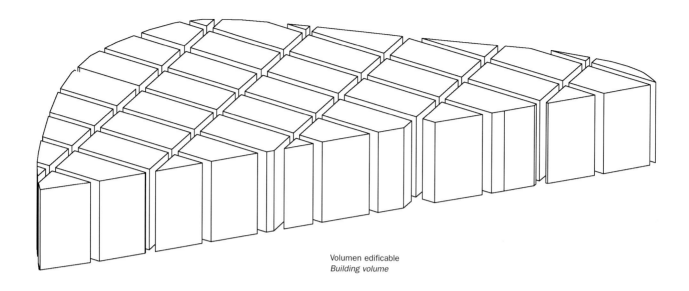

Volumen edificable
Building volume

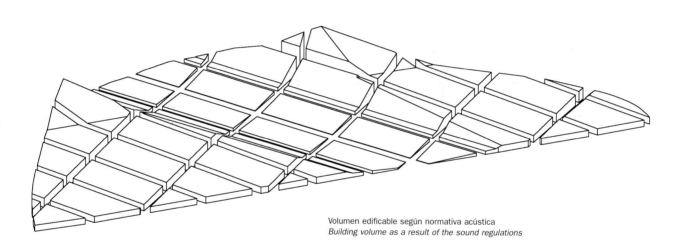

Volumen edificable según normativa acústica
Building volume as a result of the sound regulations

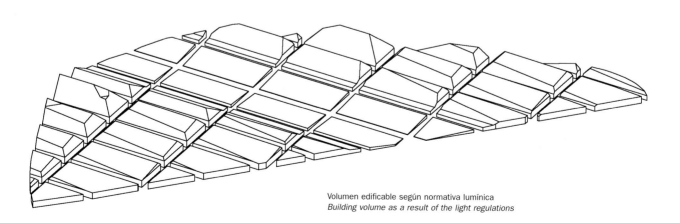

Volumen edificable según normativa lumínica
Building volume as a result of the light regulations

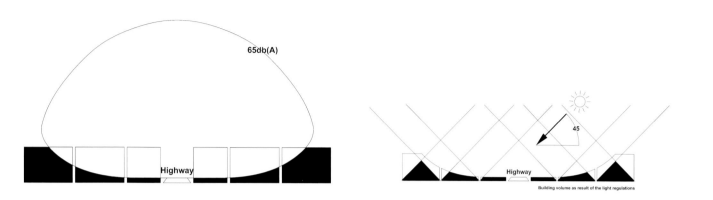

65db(A)

Highway

45

Highway

Building volume as result of the light regulations

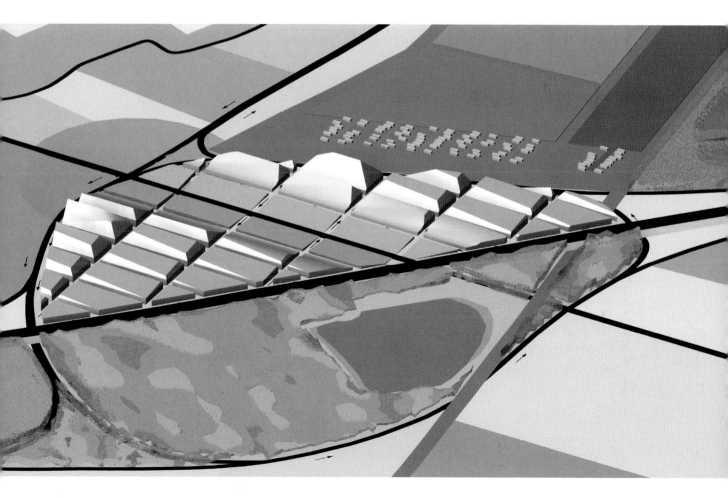

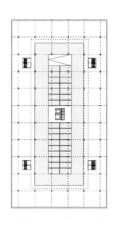
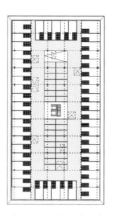
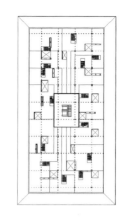
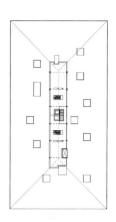

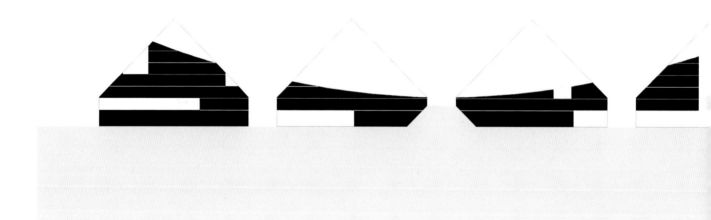

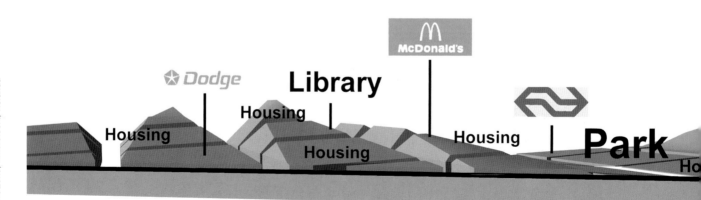

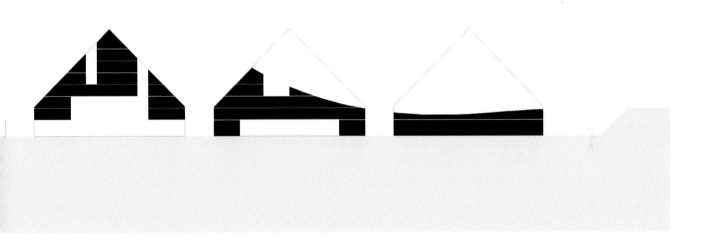

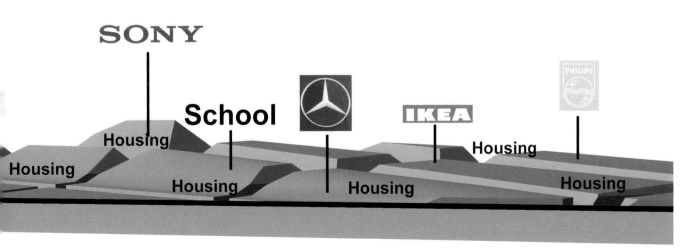

Iñaki Ábalos y Juan Herreros

Casas AH. Prototipos industriales

1994-1996

Los prototipos aquí presentados, las llamadas casas AH, suponen un giro argumental en el diseño de viviendas, un esfuerzo por definir y dar nombre a la vivienda abstracta, y todavía no convencional, fabricada con la homogeneidad de denominadores comunes que acaban paradójicamente generando lugares para la diferencia contemporánea. Los prototipos AH no se distinguen de la poética que los acompaña, la escritura hace aquí las veces de material de construcción para estas casas, que no proyectos.

1. -Se trata de una consulta realizada por una asociación de empresarios interesados en producir una línea de viviendas industrializadas dirigidas, en principio, a un mercado muy abierto: vivienda pública, vacaciones, jóvenes, protección civil... El encargo plantea un doble problema, por un lado, cómo diferenciar estas viviendas de la oferta análoga, haciéndolas capaces de competir también con la vivienda convencional; y por otro, cómo pensar la casa en su máxima abstracción, sin contexto, sin otro parámetro que una eficiencia genérica y universal.

2. -El criterio básico adoptado es la sistematización de la reducción de variables, de complejidad constructiva, de superficie, de áreas acristaladas, de particularidades, de operaciones in situ... Reducción de la que se pretende extraer una poética en sintonía con la racionalización y simplificación implícitas a la industrialización (y evitar a la par un rigorismo moralista mal entendido, restrictivo. Reducir es aquí, o quiere ser, intensificar, dar intensidad al trabajo y a la experiencia de habitar estas casas).

3. -El sistema espacial y el constructivo confluyen en una organización de la vivienda con núcleo fijo e independiente, que se instala baricéntricamente en una superficie homogénea limitada por una piel frágil. De esta forma, los caracteres distributivos se simplifican al máximo —un área diurna, un área nocturna y un compacto de equipos—, manteniendo un alto nivel de indeterminación que facilita los criterios de orientación y posición de la casa así como la puesta en obra. Ésta se reduce básicamente a dos operaciones: una con elementos bidimensionales para el montaje de la piel, y otra con un elemento tridimensional que contiene todos los aparatos de la casa.

4. -Se han adoptado criterios particulares para la cualificación exterior e interior de la casa. La estrategia de cualificación del interior parte del aumento de su altura libre: desde los convencionales 260 cm al entorno de los 360 cm aproximadamente. Con esta medida, sin aumentar las superficies convencionales del mercado, se incrementa considerablemente la "densidad" espacial de sus interiores, mejorando su comportamiento en temporadas calurosas, y otorgando a las distintas áreas una cierta cualidad tradicional que contradice la visión estrechamente economicista asociada a estas construcciones. Se trata de producir con aire, con volumen —y apoyándose en otros recursos como los huecos verticales, la chimenea, la coloración cálida de suelos o el altillo sobre el compacto técnico—, una empatía figurativa con la memoria de habitaciones amplias y agradables —un espacio "ya visto" nunca asociado a "barato" o "funcional", sino a valores ambiguos pero de gran aceptación subjetiva en la vivienda.

5. -La cualificación de la imagen exterior de la casa se pretende obtener renunciando, en primer lugar, a todo intento de homologarla con una vivienda tradicional. Frente al cuidado que deberá ponerse en el interior para generar una espacialidad densa, generosa y "antigua", en el exterior una extrapolación de estos patrones carece de sentido, pues ni la escala ni la forma ni el material guardan relación con una figuración tradicional (y los intentos en esa dirección han fracasado sistemáticamente, reforzando más que eliminando la imagen de pobreza). La estrategia propuesta es desviar las asociaciones a dos referencias estéticas: la "caja mágica" y el "artefacto técnico", buscando buenos acuerdos genéricos con el paisaje y la idea de habitar.

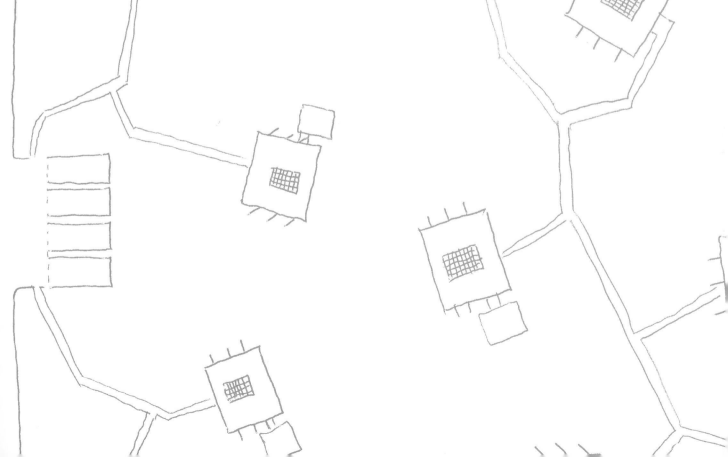

Iñaki Ábalos & Juan Herreros

AH Houses. *Industrial Prototypes*
1994-1996

The prototypes presented here, the so-called AH Houses, involve a plot twist in the design of housing, an attempt to define and give a name to the abstract, and still unconventional, dwelling fabricated with the homogeneity of common denominators that para-doxically end up generating places for contemporary difference. The AH prototypes do not differ from the poetics that goes with them, the writing here taking the place of the building material for these houses, not projects.

1. This was a consultation carried out for a group of businessmen interested in producing a line of industrialized housing aimed in principle at an extremely wide market: public housing, holiday homes, young people, civil defence... The assignment posed a double problem: how to differentiate itself from similar things on offer —and to make these dwellings also capable of competing with conventional housing—, and how to think of the house as a total abstraction, without a context, with no other parameter than a generic and universal efficiency.

2. The basic criterion adopted, then, is the systematization of reduction: of variables, constructional complexity, surface, glazed areas, particularities, of operations in situ... A reduction from which one endeavors to extract a poetics in syntony with the ratio-nalization and simplification implicit in industrialization (and equally to avoid a badly understood and restrictive moralizing severity: here to reduce is, or aspires to be, to intensify, to lend intensity to the work and to the experience of living in these houses).

3. The spatial and constructional systems come together in an organization of the accommodation with a fixed and independent nucleus that is installed baricentrically on a homogeneous surface limited by a fragile skin. In this way the distributive features are simplified to the maximum —a daytime area, a nighttime area and a service area— maintaining a high level of indeterminacy which facilitates the criteria of orientation and positioning of the house as well as the implementation. The latter is basically redu-ced to two operations, one with two-dimensional elements for the mounting of the skin and the other with a three-dimensional ele-ment which contains all the auxiliary services of the house.

4. Criteria particularized for the external and internal specification of the house have been adopted. The qualification strategy for the interior sets out from the augmentation of its free height from the conventional 260 cm to around 360 cm: with this measu-re, and without augmenting the conventional superficies on the market, the spatial 'density' of its interiors is considerably incre-ased, improving their performance in hot weather, and bringing to the distinct areas a certain traditional quality which contradicts the narrowly economistic vision associated with such buildings. This entails producing with air, with volume —and relying on other resources like vertical recesses, the chimney, the warm coloring of the floors or the mezzanine over the technical duct— a figura-tive empathy with the memory of large and agreeable rooms —a space of déjà vu, never associated with the "cheap" or "func-tional", yet of tremendous subjective importance in the house.

5. One endeavors to achieve the specification of the exterior image of the house by, firstly, renouncing any attempt to bring it into line with a traditional house. As opposed to the care which will have to go into the interior in order to generate a dense, generous and "old-fashioned" spatiality, an extrapolation of those guidelines to the exterior lacks meaning since neither the scale nor the form nor the materials maintain a relation with traditional figuration (and moves in that direction have systematically failed, rein-forcing rather than eliminating the image of poverty). The proposed strategy is to switch the associations towards two aesthetic references —the "magic box" and the "techno artefact"— in seeking positive generic accords with the landscape and with the idea of living.

6. -Un artefacto técnico —un tractor, una cosechadora, un camión cisterna—, no entra en competencia con el paisaje, no acepta el juicio estético inherente a construcciones y figuras arquitectónicas convencionales. Evitando reproducir dichas figuras y reforzando su carácter de "artefacto técnico", la casa esquiva asociaciones en las que no puede salir victoriosa. El principio de la "caja mágica" se basa en la atracción casi infantil que se proyecta sobre las cajas con interior, el cofre, el baúl o los calendarios navideños. Se trata de introducir mecanismos que permitan identificar la caja técnica con ese universo próximo a lo doméstico. Despertar la curiosidad mediante la ocultación, contrastar interior y exterior, ofrecer misterio: lo doméstico como juego.

7. -Ambas referencias —la caja mágica y el artefacto técnico— confluyen en aumentar al máximo la neutralidad del volumen reduciendo su codificación como arquitectura, y en proponer un sistema universal de huecos capaz de desaparecer mediante contraventanas que se resuelven como piezas de fachada dotadas de movilidad. Se elimina así la escala doméstica, que es sustituida por una caja mágica con pequeñas piezas que pivotan y abren el interior. Con ambas estrategias confluyentes se resuelve no sólo un problema de imagen sino también de protección, haciendo que todos los puntos de la casa mantengan un mismo nivel de seguridad.

8. -Igualmente, desarrollando acabados superficiales de extrema densidad o coloración, se refuerza el carácter artificial del objeto y se neutraliza su presencia constructiva. Así, se ha pensado una carta de distintos acabados realizados por medio de mezclas de colores y figuras. Con ello se pretende aprovechar las posibilidades implícitas al material de acabado del panel (PVF2), cuya terminación es susceptible de recibir impresiones de tipo serigráfico o similar, y diferenciar el producto de la oferta de casas prefabricadas de madera y de la de caravanas/mobile homes, produciendo una imagen "alternativa" dirigida a otro mercado potencial.

9. el sistema incluye también un conjunto de periféricos que posibilitan una personalización de la casa basada no tanto en modificaciones puntuales como en la oferta de cuerpos anexos —garaje, taller susceptible de conversión en área de invitados y torre de sombras o habitación exterior, opcionalmente dotada de movilidad—, que posibilitan un mejor acuerdo con las condiciones topográficas particulares de cada caso.

10. las casas AH son, frente a la casa tradicional, lo que el Swatch frente al reloj de péndulo: no sólo, o no tanto, un cambio tecnológico, sino la constatación de un cambio de hábitos, de la forma de relacionarse con las cosas. Un producto de la cultura material contemporánea. Se basa en la modificación del concepto de durabilidad asociado al de economía en la producción industrial: la introducción de un producto investido de seriedad cultural en la lógica del consumo. Pero no se trata de enmascarar "mala tecnología" ni de aumentar la obsolescencia. En realidad es tanto o más tecnológico que tantos productos sesudos y de imagen "científica", y su durabilidad es al menos igual a la de los mejores edificios actuales, pues está construido con los mismos componentes y sistemas. Se trata de ofrecer un producto que en sus intereses, carácter y cualidades se adapte mejor; es decir, se identifique más con la menor estabilidad, con la mayor fugacidad de la vida del hombre y de las cosas que le rodean; con una nueva concepción del tiempo asociada al hogar y al sujeto contemporáneos.

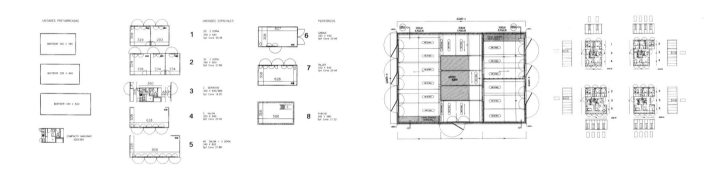

6. A techno artefact —a tractor, combine-harvester, tank wagon— does not enter into competition with the landscape, it does not accept the aesthetic judgement incumbent on conventional buildings and architectonic figures. Avoiding reproducing said figures and affirming its character as "techno artefact", the house shuns associations over which it cannot emerge triumphant. The principle of the "magic box" is based in the almost infantile attraction projected onto boxes with an inside, the coffer, trunk or Christmas calendars: this means introducing mechanisms which would allow identifying the techno box with that universe close to the domestic. Awakening curiosity, occultation, contrasting inner and outer, offering mystery: the domestic as game.

7. Both references —the magic box and the techno artefact— come together in maximizing the neutrality of the volume, reducing its codification as architecture, and proposing a universal system of window recesses capable of being effaced by means of shutters, which are resolved as elements of the facade endowed with movement. The domestic scale is thus eliminated, substituted by a magic box with small parts which pivot and open the interior up. With both these combined strategies a problem not only of image but also of protection is resolved, ensuring that all points of the house maintain the same level of security.

8. Equally, in developing superficial finishes of extreme density and coloring, the artificial character of the object is reinforced and its constructional presence neutralized. A chart has been arrived at, then, of distinct finishes, realized through a mixing of color and figures. With this one endeavors to make use of the possibilities implicit in the material of the paneling, PVF2, whose finish is capable of taking impressions of a serigraphic kind or similar, and to differentiate the product from prefabricated houses of wood and from the caravans/mobile homes on offer, in producing an "alternative" image, with another potential market.

9. The system also includes a series of optional extras which make personalization of the house possible, based no so much on precise modifications as in the offer of annexes —a garage and workshop capable of conversion into a guest room, and a Tower of Shadows or exterior room, which has optional mobility— facilitating greater accord with the topographic conditions pertaining to each case.

10. AH Houses are to the traditional house what the Swatch is to the pendulum clock: not only or not so much a technological change as the verification of a change in habits, of the way of relating oneself to things. A product of contemporary material culture. And based on a modification of the concept of durability associated with that of economy in industrial production: the introduction of a product invested with cultural trustworthiness in the logic of consumerism. Yet this does not entail masking "bad technology" or augmenting obsolescence. In reality it is as much, or more, technological than many sensible products with a "scientific" image, and its durability is at least equal to that of the best buildings today, because it is constructed with the same components and systems. This means offering a product that in its concerns, character and qualities is better adapted to —that is to say, more identified with— the decreasing stability and increasing fugacity of man's life and the things that surround him; with a new conception of time associated with the home and the contemporary subject.

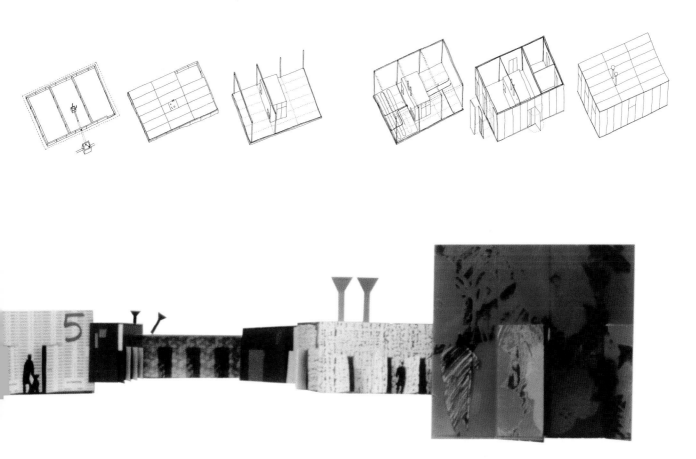

Parte 2

Proposiciones: el viaje de la periferia

Part 2

Propositions: The Journey of the Periphery

Jordi Bernadó

Jordi Bernadó

Interior's®

Le spécialiste du meuble
en pin ciré
et de l'objet de décoration
de style anglais

Ouvert du lundi au samedi
de 9H30 à 19H30

CONFORAMA

Interior's®

Camilo José Vergara

"Una línea de teorización sostiene que la intensificación de desigualdades [...] representan una transformación en la geografía del centro y de la periferia y señalan que los procesos de perificación acontecen en áreas que anteriormente fueron "nucleares" —tanto a nivel global, regional o urbano— y que en la agudización de los procesos de periferización, la centralidad, a los tres niveles, ha pasado a ser más aguda."
Saskia Sassen, Cities in a World Economy, Pine Forge Press, Thousand Oaks (California), 1994.

"One line of theorization posits that the intensified inequalities [...] represent a transformation in the geography of center and periphery. They signal that the peripheralization processes are occurring inside areas that were once conceived of as 'core' areas—whether at the global, regional and urban level—and that alongside the sharpening of peripheralization processes, centrality has also become sharper at all three levels."
Saskia Sassen, Cities in a World Economy, *Pine Forge Press, Thousand Oaks (California), 1994.*

"El re-desarrollo es un desarrollo desigual."
Rosalynd Deutsche, "Alternative Space", en Wallis, Brian (ed.), If You Lived Here. The City in Art, Theory and Social Activism. A Project by Martha Rosler, Bay Press, Seattle, 1991.

"Redevelopment is uneven development"
Rosalynd Deutsche, "Alternative Space", in Brian Wallis, (ed.), If You Lived Here. The City in Art, Theory and Social

Camilo José Vergara

"Esta ciudad que pasa por tantas adversidades y metamorfosis, desde sus núcleos arcaicos similares a los de los pueblos, esta forma social admirable, obra exquisita de praxis y civilización, se deshace y rehace a sí misma ante nuestros ojos."
Henri Lefebvre, *Writings on Cities*, Blackwell, Oxford, 1996.

"This city which has gone through so much adversity and so many meta-morphoses, since its archaic cores so close to the village, this admirable social form, this exquisite oeuvre of praxis and civilization, unmakes and remakes itself under our very eyes."
Henri Lefebvre, Writings on Cities, Blackwell, Oxford, 1996.

NL Architects (Pieter Bannenberg, Walter van Dijk, Kamiel Klaase y Mark Linnemann)

Parkhouse/Carstadt, Amsterdam, Holanda

La atención a los usos que se desarrollan en los centros históricos de las ciudades es esencial para prevenir su reducción a simples parques temáticos. En este sentido, Parkhouse/Carstadt actúa como un catalizador de las actividades de un barrio comercial del centro de Amsterdam que atrae hasta 14 millones de visitantes al año, cifra equivalente a la población del país.

Parkhouse/Carstadt examina la relación entre los usuarios y el centro urbano desde la traslación de un vocabulario propio de la periferia. La infraestructura y el edificio constituyen un solo elemento. La cubierta y el viario pasan a ser un único edificio. El resultado es un viario de actividades y usos públicos de un kilómetro de longitud y 19 metros de ancho con un 6 por ciento de pendiente inclinada que asciende un máximo de 30 metros. La construcción mantiene el carácter de cada una de sus partes y se amolda en el entorno urbano mediante pliegues, extrusiones y demás acrobacias, como si de un contorsionista se tratara. Así pues, los 19.000 m^2 de aparcamiento y los 35.000 m^2 de espacio comercial, oficinas, restaurantes y hotel son completamente accesibles y visibles, a diferencia de los edificios históricos adyacentes, donde las partes que no están en contacto directo con el viario público quedan en desuso.

NL Architects (Pieter Bannenberg, Walter van Dijk, Kamiel Klaase & Mark Linnemann)

Parkhouse/Carstadt, Amsterdam, Holland

Attending to the uses that are developed in the historic centers of cities is essential in order to prevent them being reduced to mere theme parks. In that respect, Parkhouse/Carstadt acts as a catalyst to the activities of a commercial area in the center of Amsterdam that attracts as many as 14 million visitors a year, a figure equivalent to the entire population of the country.

Parkhouse/Carstadt examines the relationship between the users and the town center, through the transposition of a vocabulary specific to the periphery. Infrastructure and building form a single element. Roofing and roadway become a single building. The result is a road system of activities and public uses a kilometer long and 19 meters wide, with a 6° slope rising a maximum of 30 m. The building keeps the character of each of its parts and molds itself to the urban setting by means of folds, extrusions and other acrobatics, as if it were a contortionist. Hence, the 19,000 m^2 of parking and the 35,000 m^2 of retail space, offices, restaurants and hotel are completely accessible and visible, unlike the adjacent historic buildings, where the bits that are not in direct contact with the public thoroughfare remain in disuse.

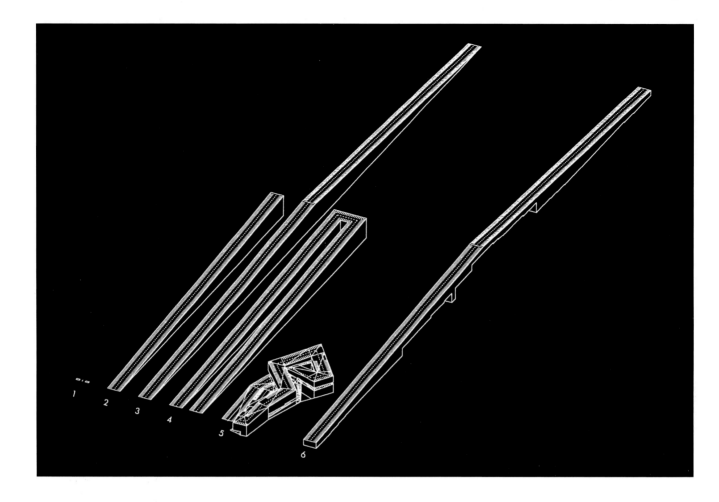

1. Inclinación
La unidad de aparcamiento de 19 m x 2,5 m se inclina ligeramente. "Es aconsejable limitar la pendiente de las rampas de aparcamiento a un 3,5-5 por ciento, y con un máximo del 6 por ciento (NPR 2443)." La inclinación crea un espacio bajo la rampa que puede ser utilizado para múltiples programas.

2. Extrusión
El interior de la ciudad de Amsterdam tiene un techo virtual a 30 metros de altura. Dada esta limitación y junto a la normativa del 6 por ciento para las rampas, la extrusión del aparcamiento produce una cuña de medio kilómetro de longitud que se llenará de vida urbana.

3. Espejo
Al duplicar simétricamente la cuña del aparcamiento, el número de entradas y salidas se duplica; la posible elección de caminos se cuadriplica. Ahora, la longitud del edificio es de un kilómetro.

4. Curva
Doblar el aparcamiento en herradura permite tanto entradas como salidas desde el acceso situado en la calle de servicio hasta el nivel de la calle. Un sistema de tráfico estándar de sentido único obligará siempre a cubrir toda la trayectoria. El tráfico en dos sentidos permite una longitud variable del edificio (mínimo de dos metros y medio y máximo de dos kilómetros).

5. Pliegue
Las unidades de aparcamiento extrusionadas e inclinadas resiguen y colisionan con el contorno del emplazamiento: el edificio actúa como si fuera un contorsionista.

6. Despliegue
El solape formaliza la sección.

1. Inclination
The 19 x 2.5-m parking unit is slightly inclined. "It is advisable to restrict the slope of the parking ramps to between 3.5 and 5 percent, and with a maximum of 6 percent (NPR 2443)." The inclination creates a space below the ramp that can be used for different programs.

2. Extrusion
The inner part of the city of Amsterdam has a virtual ceiling 30 meters high. Given this limitation, plus the 6 percent rule for the ramps, extrusion of the parking area produces a half-kilometer-long wedge shape that will fill up with urban life.

3. Mirroring
By symmetrically duplicating the parking wedge shape, the number of entrances and exits is doubled; the possible choice of routes is quadrupled. Now, the length of the building is one kilometer.

4. Curving
Doubling the parking around provides both entrances and exits from the access situated in the service road to street level. A standard one-way traffic system will oblige people to always cover the whole trajectory. Two-way traffic permits a variable building length (a minimum of 2.5 meters and a maximum of two kilometers).

5. Folding
The extruded and inclined parking units follow and collide with the contours of the site: the building acts as if it were a contortionist.

6. Unfolding
The overlap shapes the cross-section.

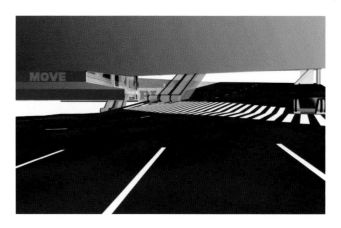

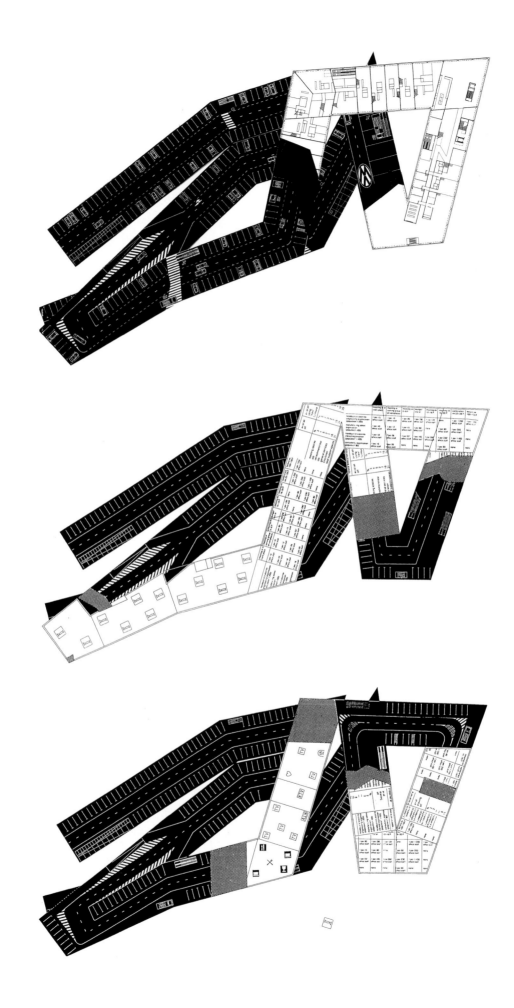

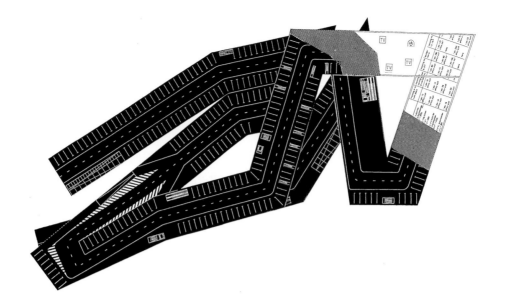

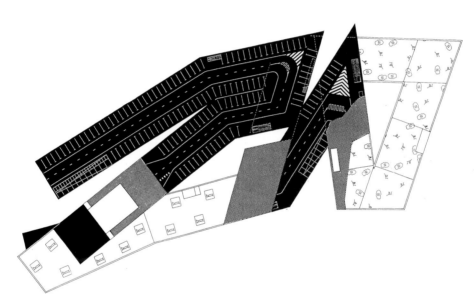

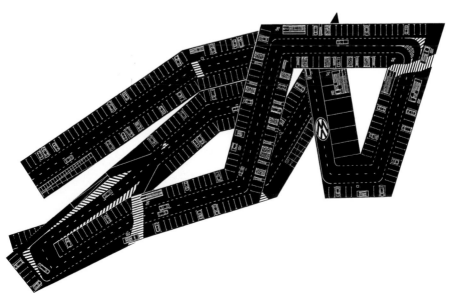

Parkhouse/Carstadt, Amsterdam, Holland

103

013 Popcluster, Tilburg, Holanda
1994-1998

013, una entidad formada por tres asociaciones de promoción musical, decidió construir su nueva sede en el centro urbano de Tilburg.

La volumetría compacta del edificio se inserta en la estructura urbana formando una sola unidad con el aparcamiento adyacente. En el interior se distribuyen tres auditorios: uno principal con capacidad para 2.200 espectadores; una pequeña sala de conciertos de rock y pop para 350 espectadores y una tercera sala, para 250 personas, que acoge otras tendencias musicales más selectas y especializadas. Las salas y el resto de dependencias públicas —tienda, café musical y taquillas—, están claramente separadas de las dependencias para artistas y empleados.

La implantación en el apacible centro urbano de Tilburg de altísimos niveles acústicos y de destellos luminosos más propios de áreas periféricas, plantea una interesante paradoja expresada en la forma de una caja acústica aislada, que se introduce como elemento extraño y hermético en un entorno cargado de significados conservadores, como es el caso del centro urbano de Tilburg.

Un revestimiento continuo de caucho sintético se extiende sobre la fachada y la cubierta, una piel negra de grosor variable, entre 40 y 90 centímetros en función de las demandas acústicas del área que cubre. La imagen hermética e impermeable de la envoltura recuerda a un sofá Chester: una trama de pliegues en torno a un nudo central apuntado con un CD de música romántica.

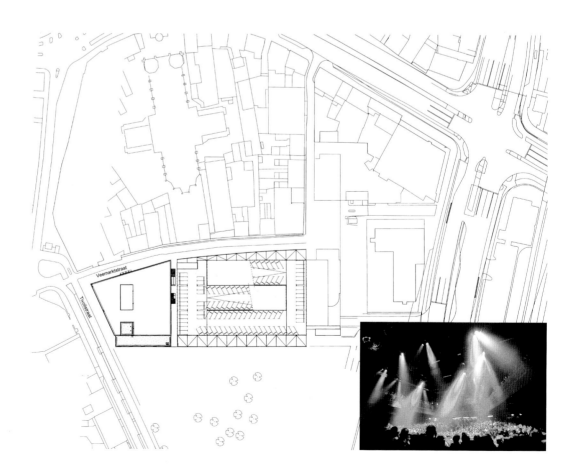

013 Popcluster, Tilburg, Holland
1994-1998

013, an entity formed by three music promotion groups, elected to build its new headquarters in the town center of Tilburg.

The compact volumetry of the building is inserted into the urban structure, forming a single unit with a parking lot alongside. Three auditoria are set out inside it: a main one, with room for 2,200 spectators; a small rock and pop concert hall for 350 spectators; and a third hall, for 250 people, which is for other, more select and specialized, musical tendencies. The auditoria and other public facilities —shop, music bar and box offices— are clearly separated from the facilities for artists and employees.

The implantation in the peaceful town center of Tilburg of ultra-high noise levels and of strobe lights more typical of outlying areas poses an interesting paradox, expressed in the shape of an isolated acoustic box, which is introduced as a strange, hermetic element in a setting replete with conservative overtones, as is the case with Tilburg.

A continuous facing of synthetic rubber extends over the facade and roof, a black skin of a thickness varying between 40 and 90 centimeters, depending on the sound requirements of the area it covers. The hermetic and impermeable image of the envelope recalls a Chesterfield sofa: a grid of pleats around a central node highlighted by a CD recording of romantic music.

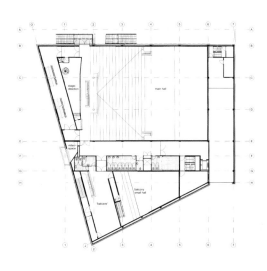

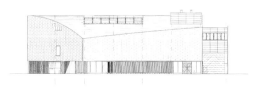

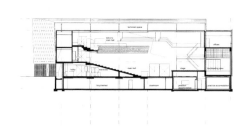

013 Popcluster, Tilburg, Holland

Estación de autobuses, Walsall, Holanda
1997

La inserción en una área abandonada del centro urbano de Walsall de una estación de autobuses, equipamiento infraestructural supeditado a la realidad de los espacios de tránsito, se interpreta como una ocasión extraordinaria para dinamizar y regenerar el núcleo urbano en decadencia.

Lejos de formalizar la infraestructura viaria y los espacios consumibles-lúdicos que exige el programa mediante la utilización de un vocabulario de periferia, la aportación de Bosch-Hasslett estriba en reinterpretar y readaptar cada una de las partes del programa para otorgar a este espacio urbano rechazado una "segunda oportunidad".

Una cubierta amplia y transparente cubre las salidas y llegadas de los autobuses además del vestíbulo con las dependencias características de una estación: taquillas, servicios, establecimientos, cafés...

Un nuevo pavimento de piedra cubre la superficie interior y exterior. Unas balizas empotradas en el pavimento indican los movimientos de los autobuses permitiendo eliminar la clásica solución de carriles y andenes. De este modo, existe la posibilidad de alternar las maniobras de los autobuses con un uso del lugar para otras actividades. La intensidad y color de las balizas empotradas pueden adaptarse a cada evento en particular. A la llegada y salida de autobuses en el exterior, se sumará el movimiento de gente por las instalaciones efímeras de mercadillos, cine al aire libre y otros acontecimientos que revitalizarán este lugar actualmente desolado. El lugar se devolverá de nuevo a la ciudad como un espacio público, desaparecida ya la periferia que lo desveló.

Bus Station, Walsall, Holland
1997

The insertion, in a derelict part of Walsall town center, of a bus station, an infrastructural amenity dependent on the reality of transit spaces, is seen as an extraordinary opportunity for invigorating and regenerating the decayed urban nucleus.

Far from formalizing the road infrastructure and the consumer/leisure spaces demanded by the program through the utilization of a vocabulary of the periphery, Bosch-Hasslett's input is based on reinterpreting and readapting each of the parts of the program in order to give a "second chance" to this rejected urban space.

An ample, transparent roof covers the departure and arrival of the buses, as well as the concourse and its typical station facilities: booking offices, toilets, commercial establishments and cafés.

A new stone pavement covers the interior and exterior surfaces. A number of ground-lights embedded in the pavement indicate the movements of the buses, thus permitting the classic solution of lanes and platforms to be eliminated. In this way the possibility exists of alternating the maneuvers of the buses with usage of the location for other activities. The intensity and color of the embedded ground-lights can be adapted to each particular contingency. In addition to the arrival and departure of buses outside, there will be the movement of people through the ephemeral amenities of flea markets, open-air cinema and other events, all of which will bring life back to this currently desolate place. The location will be restored to the city as a public space, the periphery that rendered it possible having disappeared.

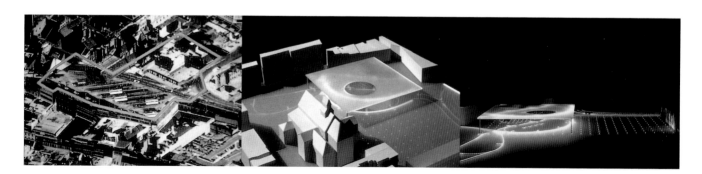

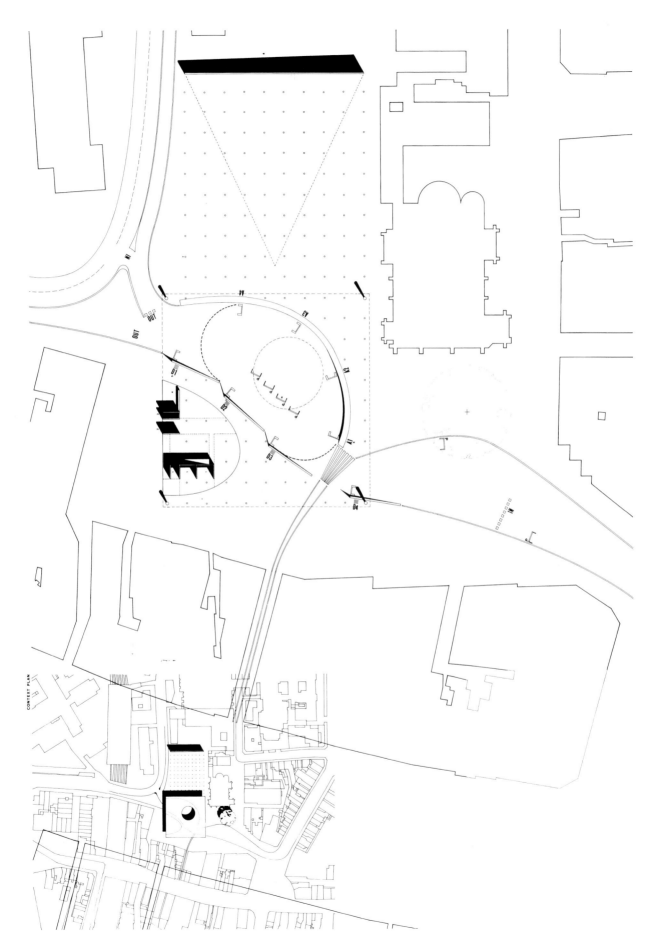

CONTEXT PLAN

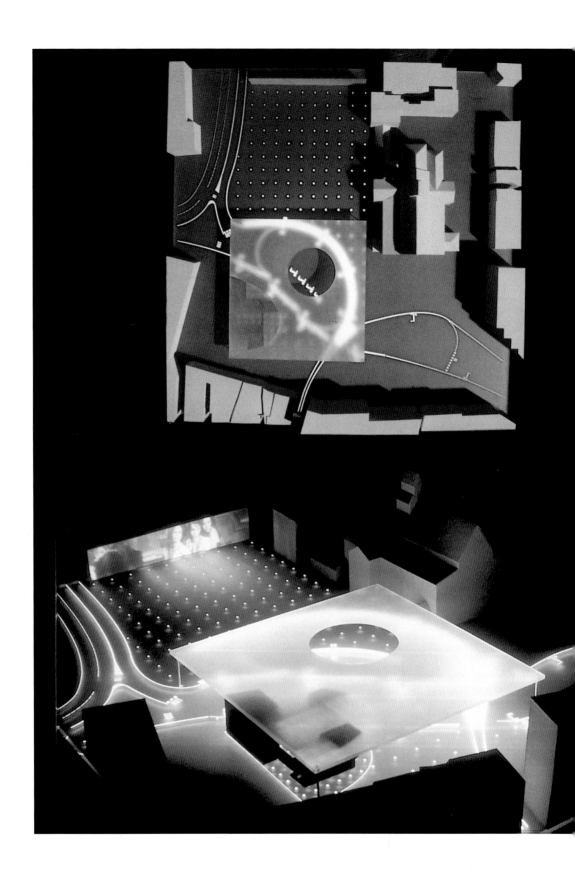

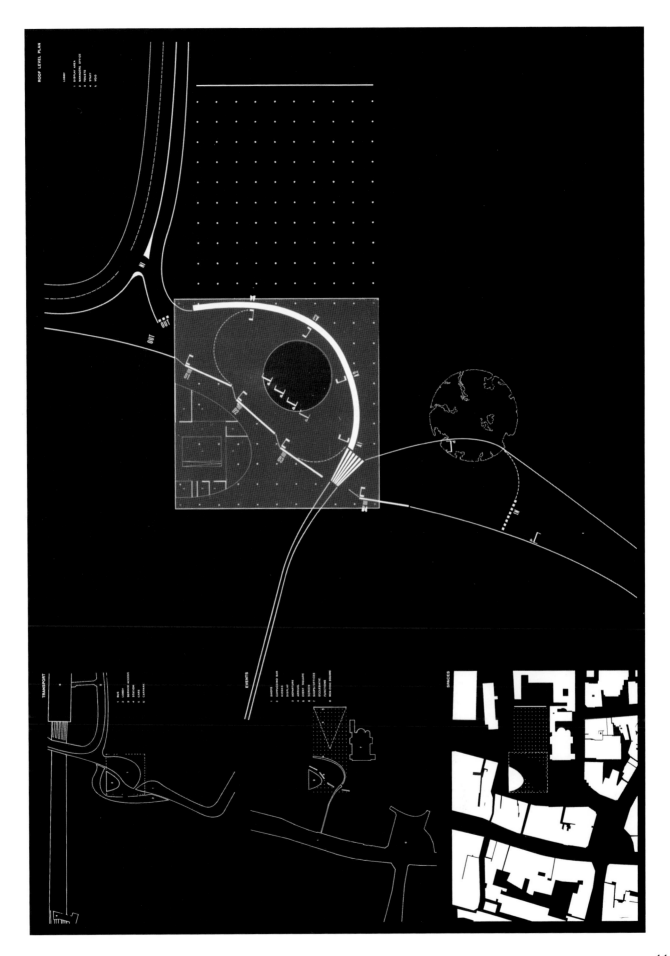

Tanque TV, Nueva York
1998

LOT/EK Architecture (Giuseppe Lignano y Ada Tolla)

La instalación de LOT/EK Architecture para la Deitch Project Gallery de Nueva York, es el resultado de la transformación de la cisterna de un trailer de gasolina en un conjunto de módulos en los que acomodarse para ver la televisión.

La antesala de la instalación muestra una serie de fotografías en blanco y negro de un camión circulando por la carretera en dirección a un desguace. Una vez llegado al final del trayecto, el camión se desguaza como si se tratara de una vaca en un matadero.

El resultado del desguace se encuentra en el interior de la galería. El tanque de aluminio se divide en ocho secciones. Los módulos alineados en serie recomponiendo la antigua cisterna, se separan entre sí apenas unos centímetros para permitir el acceso al interior. Cada una de las divisiones, de sección elíptica, se reviste interiormente con cilindros de caucho y están equipadas con un monitor de televisión en color de 13 pulgadas, auriculares y mando a distancia. Los visitantes/espectadores deben ocupar el interior de la "cisterna", ahora animada por los reflejos de la luz de los televisores y el susurro de los auriculares.

La cisterna, identificada en la antesala y en nuestro imaginario como un producto propio de una realidad industrial, se recicla y convierte en un objeto capaz de transformarse en vehículo y soporte de una nueva realidad virtual. La atmósfera virtual del interior de la cisterna se transmite al vacío de la sala, iluminada mediante fluorescentes azules y rojos.

LOT/EK Architecture (Giuseppe Lignano & Ada Tolla)

TV Tank, New York
1998

The LOT/EK Architecture installation for the Deitch Project Gallery in New York is the result of transforming the tank of a tank truck into a set of modules in which to relax and watch television.

The installation anteroom displays a series of black-and-white photos of a truck driving along the highway towards a breaker's yard. Once there, the truck is hacked into pieces as if it were a cow in a slaughterhouse.

The outcome of the dismemberment is to be found inside the gallery. The aluminum tank is divided into eight sections. The modules aligned in a series, reconstituting the former tank, are separated by a few centimeters in order to permit access to the interior. Each of the divisions, elliptical in cross-section, is faced within with rubber cylinders and equipped with a 13-inch color TV, headphones and remote control unit. The visitors/spectators have to occupy the inside of the "tank", now animated by the light reflecting from the TVs and the murmuring of the headphones.

The tank, identified in the anteroom and in our imaginations as a typical industrial product, is recycled to become an object suited to being transformed into the vehicle and support of a new virtual reality. The virtual atmosphere of the interior of the tank is transmitted to the empty space of the gallery, illuminated by blue and red fluorescent lights.

"Cuanto más cuidadosamente se examina el espacio, viéndolo no sólo desde el intelecto, sino con los sentidos, con todo el cuerpo, más claramente se da uno cuenta del conflicto surgido del trabajo con sus conflictos que fomentan la explosión del espacio abstracto y de la producción de un espacio que es otro."

Henri Lefebvre, *La Production de l'espace*, Anthropos, París,1974.

"The more carefully one examines space, considering it not only with the intellect but also with the senses, with the total body, the more clearly one becomes aware of the conflict at work within its conflicts, which foster the explosion of abstract space and the production of a space that is other."

Henri Lefebvre, La Production de l'espace, Anthropos, Paris, 1974
(English version: The Production of Space, Blackwell, Oxford, 1991).

Tanque TV

American Diner #1, Tokio, Japón

Lot/EK propone aquí un prototipo de "American diner", metáfora de la identidad de la periferia local —americana donde las haya—, capaz de transportarse a entornos completamente ajenos. La movilidad de lo local es la piedra de toque de este proyecto.

Dos contenedores, de los que se utilizan en transporte marítimo, se unen y su unión se hace visible a través de una intersección. Se practican largos cortes horizontales en la piel metálica de los contenedores que hacen las veces de ventanas. El nombre del restaurante, impreso en el exterior con pintura fluorescente, atraviesa el volumen entero, convirtiendo el edificio en un signo tridimensional de sí mismo.

En uno de los contenedores se ubica el comedor mientras que en el otro se encuentra la cocina, la entrada y los servicios. A lo largo de la intersección que separa ambos contenedores, una serie de taburetes marcan el final del contenedor-comedor frente a la larga barra del contenedor-cocina. La luz penetra a través de esta intersección, sellada con vidrio.

Es fundamental que los contenedores se fabriquen y amueblen por completo en Estados Unidos y que sólo posteriormente se trasladen a Japón, su primer emplazamiento. La modularidad del contenedor hace posibles múltiples combinaciones.

La periferia clásica americana, una vez convertida en cartel fetiche, viaja por mar a lugares extraños, inaugurando un renacimiento irónico.

American Diner #1, Tokyo, Japan

Here, LOT/EK proposes a prototype "American diner", a metaphor for the identity of the local periphery —as American as you could wish—, capable of being transported to completely alien surroundings. The mobility of the local is this project's touchstone.

Two containers of the type used in maritime transport are joined together and their joint is made visible by means of an intersection. Long horizontal cuts are made in the metal skin of the containers that do duty as windows. The restaurant name, inscribed on the outside in fluorescent paint, is splashed across the entire volume, converting the building into a three-dimensional sign of itself.

The diner is housed in one of the containers, while in the other the kitchen, entrance and bathrooms are found. Running the length of the intersection separating the two containers is a series of stools which mark the end of the diner-container facing the long bar of the kitchen-container. Light enters through this intersection, sealed off with glass.

It is crucial for the containers to be made and fully fitted in the USA, and subsequently moved to Japan, their first location. The modularity of the container makes different combinations possible.

Converted into a fetish poster image, the classic American periphery travels by sea to foreign places, heralding an ironical rebirth.

American Diner #1 Tokyo, Japan

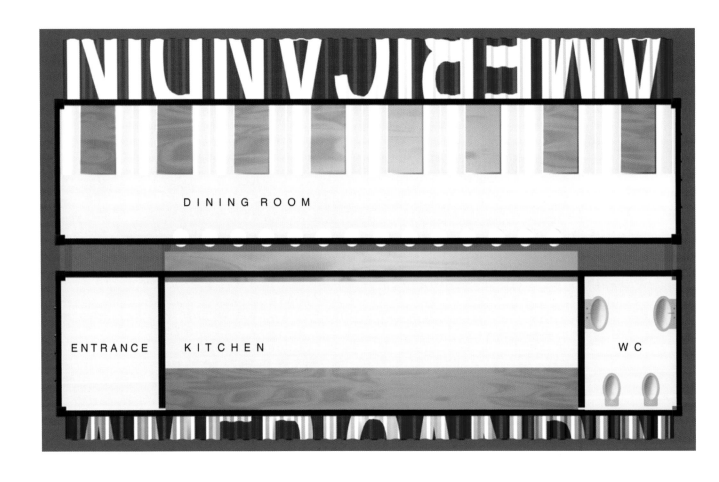

DINING ROOM

ENTRANCE   KITCHEN

W C

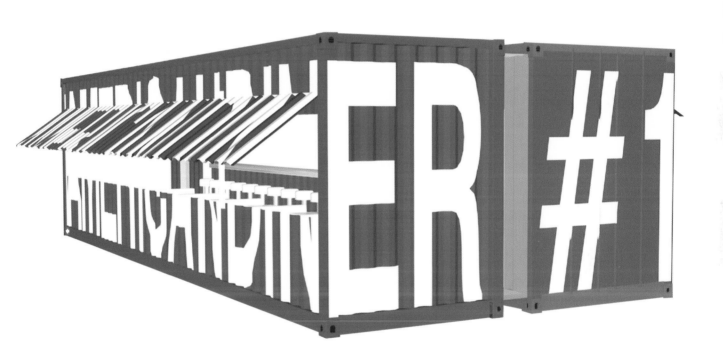

El proyecto de KIT (colectivo de artistas/arquitec-
tos/paisajistas) parte del presupuesto de la decadencia del suburbio/barrio residencial (suburb) a través de la metáfora de un espacio real condenado,
ubicado en Ottawa. De manera característica (KIT es
una entidad interdisciplinar) se trata tanto de una
reflexión teórica, como de un proyecto de arquitectura, de una intervención paisajística, una instalación artística o un ejemplo de activismo político.

El proyecto propone una recolonización metafórica y
virtual de un territorio declarado tóxico e inhabitable
por las autoridades canadienses. Se invita al visi-
tante de la instalación a dibujar un edificio/vivienda
por ordenador. El dibujo entra en una red informáti-
ca, se transmite y se reproduce en el territorio tóxico real de Ottawa mediante un robot allí situado.

El proyecto propone el diseño de viviendas virtuales
que aúne la metáfora de colonización con las ins-
cripciones irónicas de su imposibilidad. Se trata
pues de "deslocalizar un lugar" para sustituirlo por
un lugar autónomo y virtual. La periferia se abre así
a la virtualidad y sus ironías. La crítica, en este
caso, es también una propuesta. La ironía de reciclaje se desvela: la recuperación es una admisión
de un fracaso anterior, de una destrucción previa.

Greylands (formerly NEW TOXIC HOMES)
1997

This project by KIT, a collective of artists / architects / landscapists, proceeds from a presupposition of the decadence of the suburb/residential neighborhood by recourse to the metaphor of a real condemned space located in Ottawa. Characteristically —KIT is an inter-disciplinary entity—, this involves a theoretical vision as well as an architectural project, a landscaping intervention, an art installation or an example of political activism.

The project proposes the metaphorical, virtual re-colonizing of a territory declared as toxic and uninhabitable by the Canadian authorities. The visitor to the installation is invited to design a building/house by computer. The design enters a computer network, is transmitted and reproduced in the actual toxic territory of Ottawa by an on-site robot.

The project advocates the design of virtual dwellings that combine the metaphor of colonization with the ironic inscription of its impossibility. It is a question, then, of "dislocating a location" so as to substitute it by an autonomous and virtual one. The periphery is thus opened up to virtuality and its ironies. In this instance, critique is also a proposal. The irony of recycling is revealed: salvaging is an admission of previous failure, of former destruction.

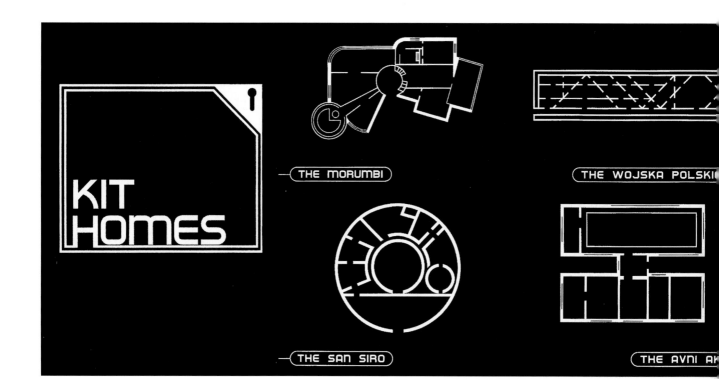

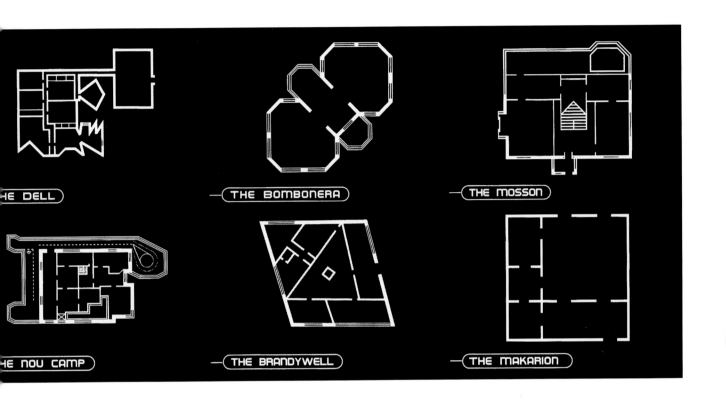

HE DELL — THE BOMBONERA — THE MOSSON —

HE NOU CAMP — THE BRANDYWELL — THE MAKARION —

TimeZone Architectures (Claire Petetin y Philippe Grégoire)

Casa-maleta Berlín, Alemania

La propuesta de vivienda nómada en el espacio urbano de Berlín supone una reflexión alternativa al hábitat y al desarrollo de espacios abandonados, destruidos por la misma evolución urbana y desvinculados de la ciudad/centro.

Los Rollheimers, habitantes nómadas de la metrópoli berlinesa, son la identidad sobre la que se desarrolla la propuesta. La identidad fluctuante de espacios ayer habitados, hoy en día abandonados y que mañana pueden situarse en el circuito especulativo del valor económico y financiero, les infiere un atractivo sobre el cual se desea reflexionar.

La casa-maleta no es la definición de un objeto completo ni de una forma estable y predeterminada; es un proceso de inscripción temporal. Esta formulación flexible es capaz de evolucionar, reexaminarse y redefinirse a través de las transformaciones de los diferentes contextos en los que se sitúa.

El carácter mutable de la vivienda permite que ésta se desarrolle a imagen de su habitante. La materialización de la propuesta toma la forma de una segunda piel, un atuendo más. Los materiales son los mismos usados en prendas y complementos deportivos, interesantes por su característica adecuación entre economía material y simplicidad formal, sus requisitos de movilidad y su particular investigación de la exactitud.

Se propone una lectura alternativa de las situaciones de urgencia, el nomadismo urbano, de la metrópoli contemporánea.

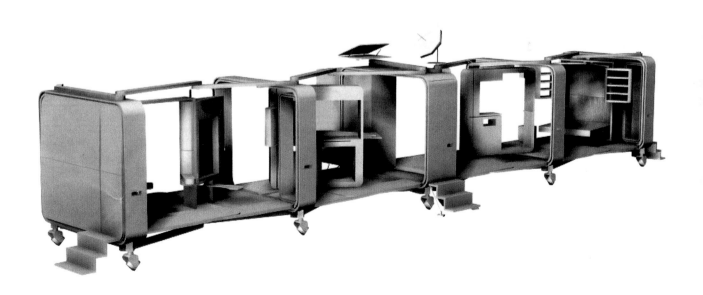

TimeZone Architectures (Claire Petetin & Philippe Grégoire)

Suitcase-House, Berlin, Germany

This scheme for a nomadic dwelling in the urban space of Berlin involves an alternative vision of both the habitat and the development of abandoned spaces, destroyed by urban change itself and disconnected from the city/center. The proposal is based on the identity of the Rollheimers, nomadic inhabitants of the Berlin metropolis. The fluctuating identity of spaces that were once inhabited but are now abandoned, and which may be part of a future round of economic and financial speculation, gives them an attractiveness that is worthy of consideration.

The suitcase-house is not the definition of a discrete object, or of a stable, pre-determined form; it is a process of temporal inscription. This flexible formulation is capable of evolving, of reexamining and redefining itself in terms of the transformations of the differing contexts in which it is found. The mutable nature of the dwelling allows it to evolve in the image of its inhabitant. The scheme's materialization takes the form of a second skin, an extra item of wear. The materials are the ones used in sportswear and sports accessories, interesting for their characteristic conjoining of material economy and formal simplicity, their requisite mobility, and their particular investigation of precision.

An alternative reading is proposed of urgent situations, urban nomadism, and the contemporary metropolis.

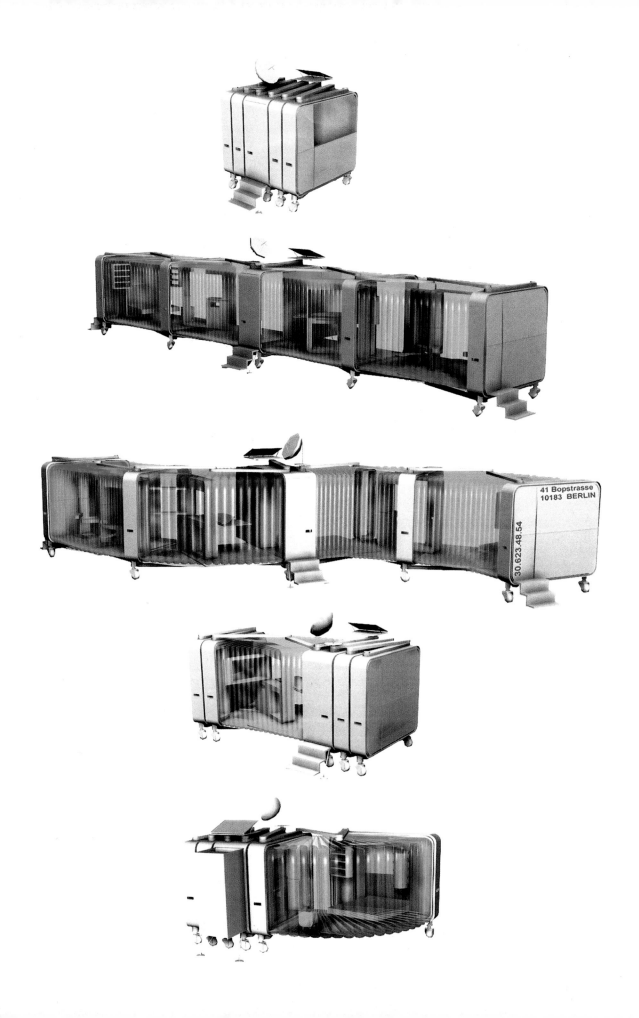

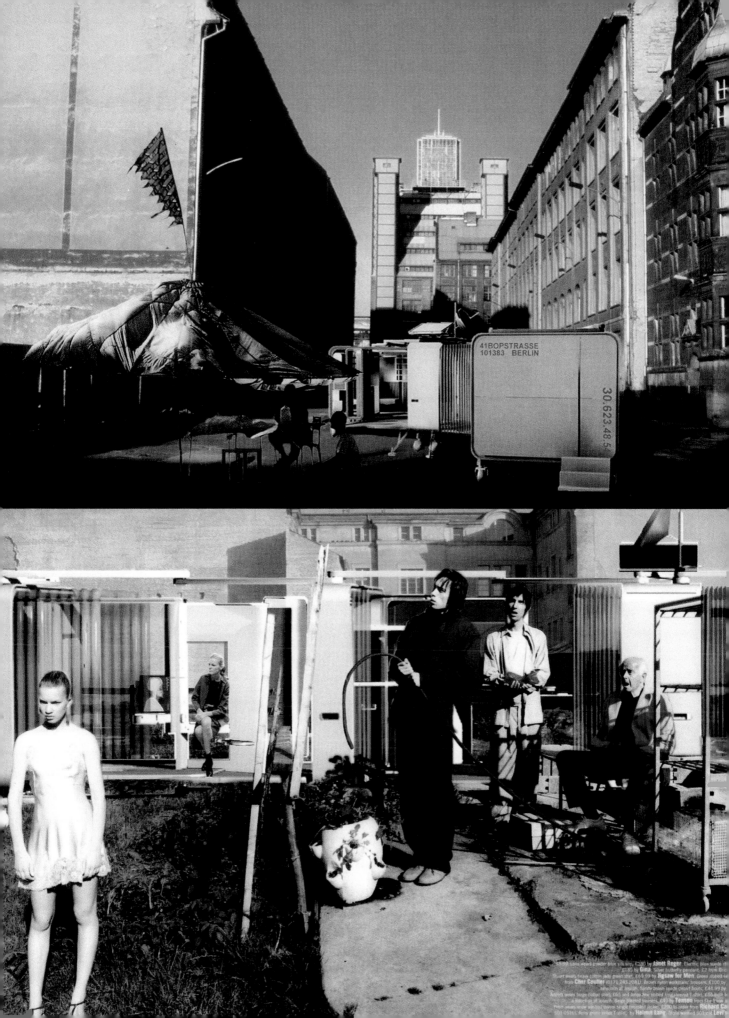

41BOPSTRASSE
101383 BERLIN

30.623.48.5

JET LAG
Una colaboración entre The Builders Association y Diller + Scofidio

O la periferia como cuento... o ¨reality show"
En Jet Lag, Dillier y Scofidio proponen una reflexión entorno al tiempo periférico, desubicado, del tránsito entre fronteras,
territorios de nadie, a medio camino entre la realidad (la de sus personajes) y la virtualidad (la de su entorno). Una vez
recorrida esta instalación, ya sea leyendo sus historias o paseando por una galería, es imposible ignorar la existencia de
una periferia temporal, ajena a las leyes de las naciones e incluso el sentido común, que ocasionalmente se cobra vícti-
mas de carne y hueso, destruyendo a los ex/céntricos que intentan habitarla.

Jet Lag es una obra de teatro multimedia en la que la acción teatral se entrelaza con proyecciones de vídeo en directo y
grabadas en la presentación de dos líneas narrativas:
1. En su famosa entrevista, The Third Window (La tercera ventana), Paul Virilio cuenta la historia de Sarah Krasnoff, la
abuela americana que durante seis meses cruzó 167 veces el Atlántico en compañía de su pequeño nieto, en un intento
de eludir la persecución del padre del niño y del psiquiatra. Viajaron de Nueva York a Amsterdam y de Amsterdam a Nueva
York, sin abandonar nunca el avión ni el aeropuerto, salvo en una breve estancia en el hotel del aeropuerto. Krasnoff murió
finalmente a causa del jet lag. En palabras de Paul Virilio, esta heroína contemporánea vivió en "un tiempo diferido".
2. En 1969 un excéntrico inglés llamado Donald Crowhurst se unió a una regata, patrocinada por el *Sunday Times* de
Londres, para dar la vuelta al mundo en solitario. Mal preparado, pero dejándose llevar por la publicidad del aconteci-
miento, Crowhurst cargó el equipo de filmación que le proporcionó la BBC para filmar su viaje y zarpó. Durante algunas
semanas, Crowhurst encontró mar gruesa en el Atlántico. Vagó sin rumbo en círculos en mar abierto durante el resto de
la regata. Perseguido por el espectro del fracaso, Crowhurst transmitió falsas posiciones por radio, presentó un diario falso
y documentó su "exitoso" viaje en una película. Al unirse de nuevo a la competición en la última regata, el miedo a ser
humillado por la sociedad llevó finalmente al atormentado marinero a quitarse la vida ahogándose. Crowhurst desapare-
ció finalmente en su "espacio diferido".
En el escenario, Crowhurst aparece frente a su cámara de vídeo. Justo a su espalda se encuentran como fondo unas imágenes del mar también grabadas en vídeo. El equipo de vídeo y la pantalla se mecen suavemente de forma mecánica para
simular el movimiento del mar. Mientras Crowhurst habla a la cámara, su imagen, en directo, se proyecta en la pantalla

JET LAG
A collaboration between The Builders Association & Diller + Scofidio

Or the periphery as story... or "reality show"...
In "Jet Lag" Diller + Scofidio propose a reflection on peripheric time, the displaced time of transit between frontiers, territories belonging to no one, halfway between reality (that of their characters) and virtuality (that of their surroundings). Once this installation is experienced, be it by reading their stories or by strolling through a gallery, it proves impossible to ignore the existence of a temporal periphery, remote from a country's laws and even from common sense, that occasionally claims victims of flesh and blood, destroying the ex/centrics who attempt to live in it.

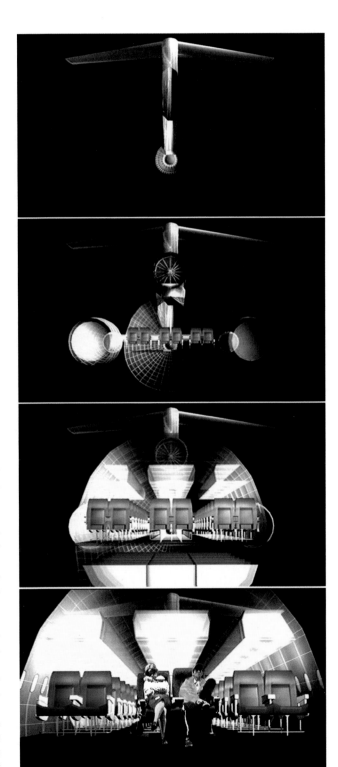

Jet Lag is a multimedia theater work in which stage action intersects with live and recorded video in the presentation of two narratives:
1. In his famous interview "The Third Window", Paul Virilio tells the story of Sarah Krasnoff, the American grandmother who in a period of six months flew across the Atlantic 167 times with her young grandson in an attempt to elude the pursuit of the child's father and psychiatrist. They traveled New York/Amsterdam, Amsterdam/New York, never leaving the plane or airport lounge except for a brief stop at the airport hotel. Krassnoff finally died of jet lag. In the words of Paul Virilio, this contemporary heroine lived in "deferred time."
2. In 1969 a British eccentric named Donald Crowhurst joined the round-the-world solo yacht race sponsored by the London Sunday Times. *Ill-prepared, but driven by the guaranteed publicity of the event, Crowhurst loaded up the film equipment provided to him by the BBC to record his journey and set sail. Within several weeks, Crowhurst encountered heavy seas in the South Atlantic. He drifted in circles on the open sea for the remainder of the race. Haunted by the specter of failure, Crowhurst broadcast false radio positions, produced a counterfeit log and documented a "successful" voyage on film. As he rejoined the race in the last leg, the fear of social humiliation finally led the troubled sailor to take his life by drowning. Crowhurst ultimately disappeared into his "deferred space."*
Crowhurst appears on stage in front of his live video camera. Just behind him is a small video backdrop of a seascape. The projector/screen assembly rocks mechanically to simulate the roll of the ocean. As Crowhurst speaks to the camera, his live image is projected onto the giant screen behind him. The audience witnesses him and his image as he produces his auto-documentary. He rewinds, makes new takes until he gets it just right.
Krasnoff appears with her grandson in the ubiquitous spaces of travel –always in surveillance videos of airport waiting lounges, sterile corridors, passport control stations, security checkpoints. On stage the two live performers are lodged halfway between stage space and virtual backdrops, halfway between past and present.
Both true stories feature characters severed from conventions of time and space. Krassnoff is subjected to the ubiquitous, non-stop space of travel, while she produces a virtual home for her grandson in a succession of airport

gigante que hay detrás de él. El público actúa como testigo mientras él realiza su "auto-documental". Él rebobina, hace nuevas tomas, hasta que le parece que ha quedado bien.

Krasnoff aparece con su nieto en los espacios ubicuos del viaje —siempre en los vídeos de vigilancia de las salas de espera de los aeropuertos, en pasillos vacíos, en controles de pasaporte, en controles de seguridad—. Sobre el escenario los dos actores están "alojados" a medio camino entre el espacio del escenario y los fondos virtuales, a medio camino entre el pasado y el presente.

Ambas historias reales presentan personajes cercenados por las convenciones de tiempo y espacio. Krasnoff está sometida al espacio ubicuo e infinito del viaje, al mismo tiempo que crea una morada virtual para su nieto en una sucesión de habitaciones de hoteles de aeropuerto; Crowhurst simula el viaje flotando en un limbo perpetuo. En un interesante juego de estereotipos genéricos, la mujer reproduce un espacio doméstico, estático... en constante movimiento; mientras que el hombre convierte en una ficción el movimiento... que está congelado en el espacio, encerrado en la parafernalia de lo masculino y en un movimiento, que es mera fanfarronería.

Creado por: Diller + Scofodio y The Builders Association
Dirección: Marianne Weems
Diseño y concepto de vídeo: Diller + Scofodio
Guión: Jessica Chalmers
Realizador de vídeo: Cristopher Kondek
Realizador de sonido: Dan Dobson
Iluminación: Jennifer Tipton
Animación por ordenador: James Gibbs/dbox

hotel rooms; Crowhurst simulates travel while floating in perpetual limbo. In an interesting play of gender stereotypes, the female reproduces a static, domestic space... in constant motion, while the male fictionalizes motion... frozen in space, confined by the trappings of masculinity and the bravado of movement.

Created by: Diller + Scofidio & The Builders Association
Direction: Marianne Weems
Design and video concept: Diller + Scofidio
Script: Jessica Chalmers
Video designer: Cristopher Kondek
Sound designer: Dan Dobson
Lighting designer: Jennifer Tipton
Computer animation: James Gibbs/dbox

Francesco Jodice

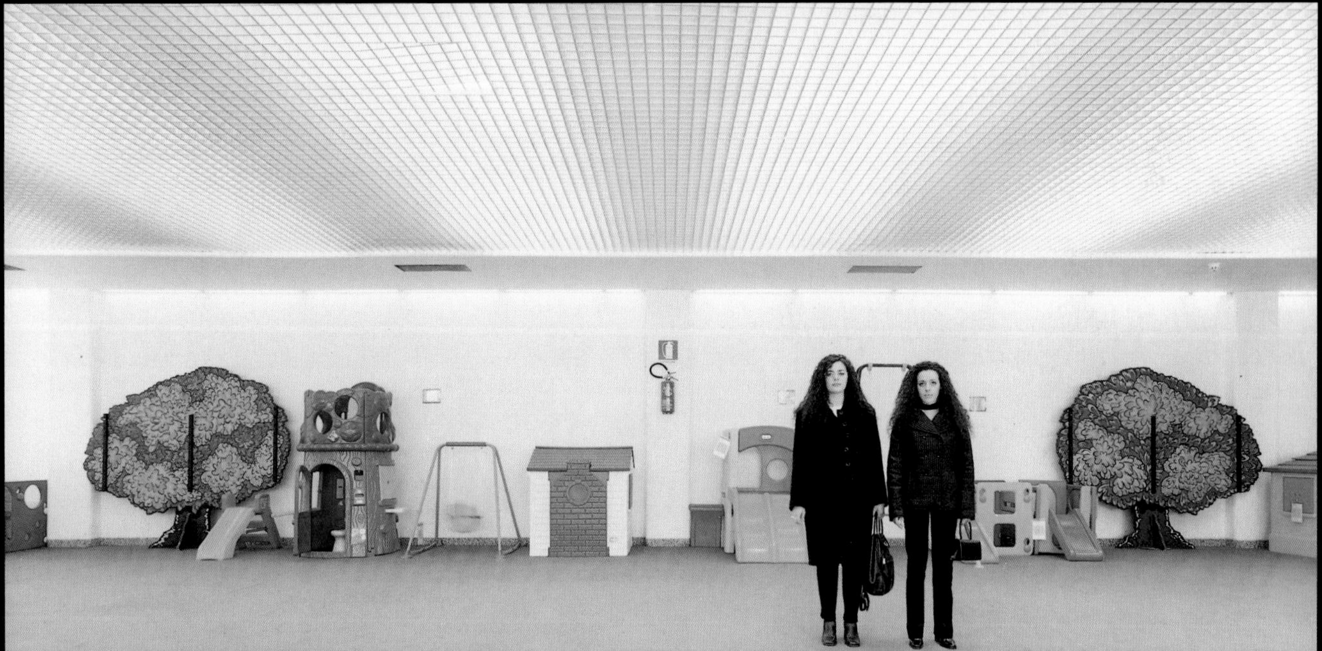

"Disfruto de mi vida entre los centros y las periferias; soy simultáneamente periférico y central, pero me quedo con la periferia."
Henri Lefebvre, *Les Temps des méprises*, Stock, París, 1975; (versión castellana: *Los tiempos equívocos*, Kairós, Barcelona, 1976).

"I enjoy my life between the centers and the peripheries, I am at the same time peripheral and central, but I take sides with the periphery."
Henri Lefebvre, Les Temps des méprises, *Stock, París, 1975*

"Contrariamente al común de los viajeros que apenas se apresuran a trasladarse al centro de la ciudad, yo efectuaba siempre un reconocimiento previo de los alrededores, de los suburbios. No tardé en comprobar la virtualidad de este principio. Nunca una primera hora me había colmado tanto como esta que pasé entre el muelle y los malecones exteriores, entre los tinglados portuarios y los barrios más pobres, auténticos refugios de la miseria. Cinturón que oprime la ciudad, constituyen su lado patológico, el terreno donde se libran ininterrumpidamente batallas decisivas entre la ciudad y el campo, batallas que en ningún otro lugar son tan enconadas como entre Marsella y la campiña provenzal. Es la lucha cuerpo a cuerpo de los postes telegráficos contra las pitas, del alambre de púas contra las espinosas palmeras, de pestilentes columnas de vapor contra umbrosos y sofocantes platanales, de escalinatas fantasiosas contra imponentes colinas".

Walter Benjamin, *La historia de un fumador de hachís*, Editorial Península, Barcelona, 1997.

"Contrary to most travelers who, but scarcely arrived, rush off to the city center, I always made a previous reconnoiter of the outskirts, of the suburbs. It didn't take me long to test the potential of this principle. Never had an early morning satisfied me so much as the one I passed on the quayside and outer piers, among the port lean-tos and the poorest quartiers, authentic refuges of misery. A belt oppressing the city, it constitutes its pathological side, the terrain where the decisive battles between city and countryside are endlessly waged, battles that are nowhere else so bitter as between Marseilles and the Provençal landscape. It is a hand-to-hand fight of telegraph poles against agaves, barbed wire against spiky palm trees, pestilential columns of vapor against shady and suffocating clumps of plane trees, of vainglorious flights of steps against imposing hillsides".

Walter Benjamin, Über Haschisch, Suhrkamp Verlag, Frankfurt a. M., 1972.

Créditos fotográficos *Photo credits*

Jordi Bernadó, pp. 86-91
S. Couturier / O. Wogenscky, pp. 26-27
H. Halfenstein, pp. 57-61
Francesco Jodice, pp. 132-138
KIT, pp.120-121, 123
Jannes Linders, pp.104-107
Harald F. Müller, pp. 58-60
Motoi Niki, pp. 28-30, 32-33
Paul Raftery, pp. 52-55
Xavier Ribas, pp.16-22
Philippe Ruault, pp. 43-45, 49-50
Shinkenchiku-sha, pp. 46-47
TimeZone Architectures, p. 125
Camilo José Vergara, pp. 92-97
Paul Warchol, pp. 112-115